昭和基地沖の「しらせ」とアデリーペンギン

右上に見える船が南極観測船「しらせ」。私が撮影した写真の中でもお気に入りの一枚。ここは、昭和基地と南極大陸の間に広がる海峡。つまり、海の上で撮影した。

アデリーペンギンのルッカリー（営巣地）

にぎやかな鳴き声が響き、地面がピンク色に染まっていた。これはペンギンの糞によるもので、主な餌であるオキアミという海にいる動物プランクトンの色素によるものだという。ここでもペンギンの方から走って私に近づいてきたが、「おっと。距離をとらなきゃ。」南極条約で5m以内に近づいてはいけないことになっている。

氷の裂け目から生きもの採取の様子

飼育中の魚の様子

昭和基地から茨城県へ
『南極授業』衛星回線のライブ中継！
南極の魚の生きたままの姿を観察

／画像（左）提供：国立極地研究所

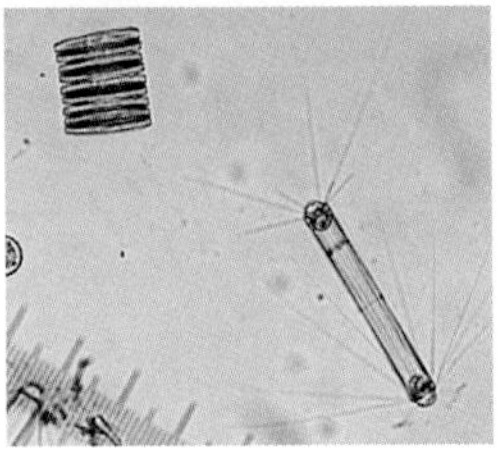

茶色い氷　　植物プランクトン

「しらせ」船尾から航跡を見ていたときだった。茶色い氷があることに気づいた。これは、海氷の下側（海水面に接している側）に付着した植物プランクトンである藻類が発達したことによるもので、アイスアルジーという。「しらせ」が砕氷したときに氷がひっくり返ったことで見ることができたのだ。

南極に最も近い海で採取されたものはどれ？

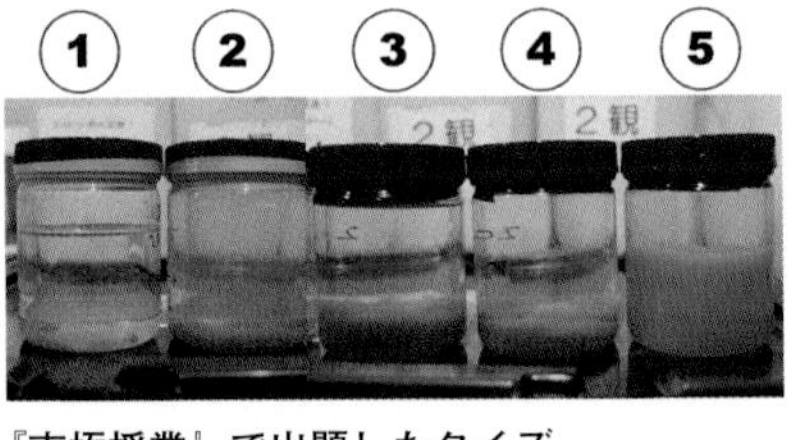

『南極授業』で出題したクイズ

昭和基地（ヘリコプターから撮影）

越冬交代式　昭和基地の「19 広場」にて。向かって左に第 60 次越冬隊、右に第 61 次越冬隊が並んだ。

雪上車

S17にて雪上車を運転する著者

南極大陸の内陸（S17）

トッテン氷河沖にて世界初の集中的な観測に参加

「しらせ」船上からの採泥観測の様子

アザラシのミイラ

低温で乾燥し、分解者の微生物が少ない南極では腐敗が進まない。
数百年前か数千年前のものか……

コウテイペンギン

アデリーペンギン

宙に浮く氷山⁉

きれいな夕方の海を船上から眺めていると、遠方に小さく、雲ではない何かが空に浮かんでいるのを見つけた。平たい形の氷山の蜃気楼がはっきりと空に映っている。

南極観測船「しらせ」

地球影とビーナスベルト

太陽が沈むと、反対の空に地球の影が青く映し出され、魔法にかかったようなピンク色の空が帯状に広がっている。それをビーナスベルトという。十数分だけの、束の間の幻想的な景色。幸せを感じる一番お気に入りの景色で、心が癒される瞬間だった。

グリーンフラッシュ

昭和基地で白夜が終わり、夕陽が見られるようになった頃。それは、あるチャンスを予感させる。グリーンフラッシュだ。日の出や日の入りの間際、わずかな時間だけ緑の光がきらめく現象。非常に空気が澄んでいて雲がないなど多くの条件がそろわないと見ることが難しかった。

鉱物

昭和基地を歩いているとき、足もとで赤紫色に点々と光っている石が目についた。ガーネットという宝石鉱物だ。残念ながら、南極条約によって持ち帰ることは厳しく禁止されている。

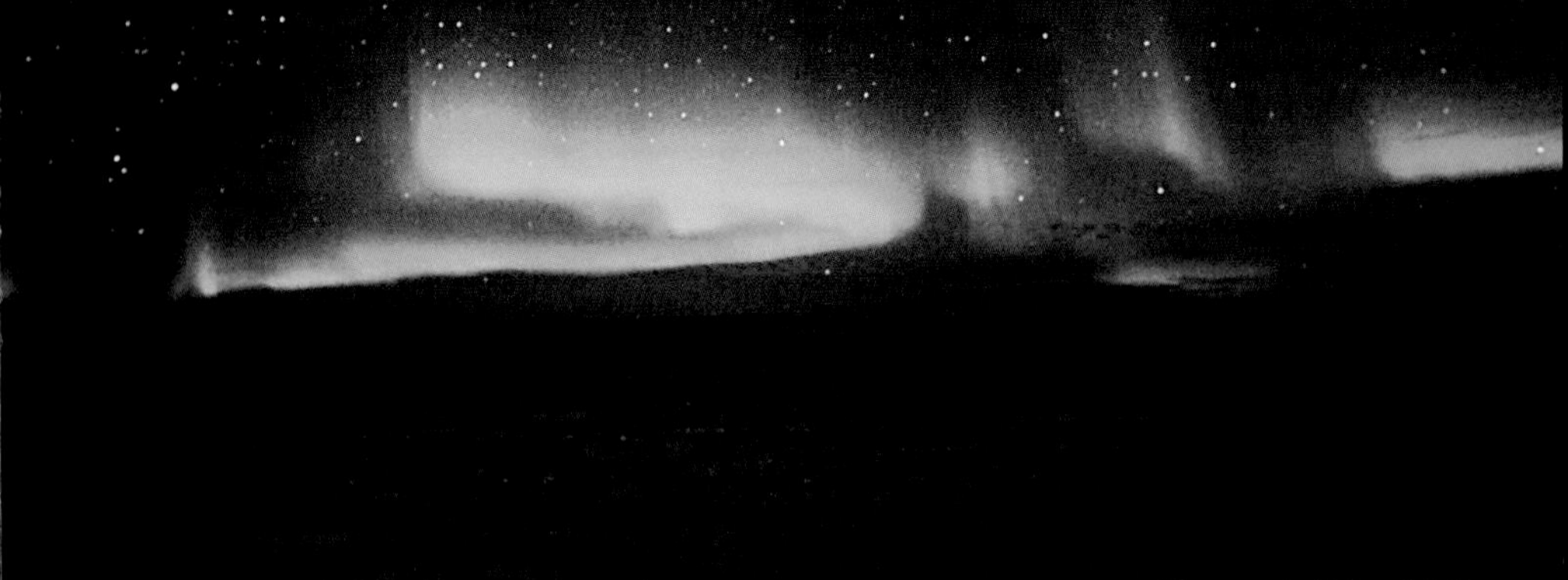

オーロラ（「しらせ」船上で撮影）

氷山

—現役高校教師の挑戦—

南極せんせい

北澤佑子

第61次南極地域観測隊
(教員南極派遣プログラム)

プレアデス出版

プロローグ

「すごい……。私、本当に南極に来たんだ。」
グッと心の底からこみ上げてくる感動で心が震えていた。

二〇一九年十二月七日、私は生まれて初めて氷山を見た。南極観測船「しらせ」から見えた氷山は、想像していたよりも遥かに大きく、圧倒的に壮大だった。その姿を目の当たりにして、私は息をするのも忘れ、雄大に海に浮かぶ氷山をじっと見つめていた。

「氷山ってこんなにも大きくて、美しいんだ。」

氷の表面が太陽の光を反射してキラキラ輝いている。透き通るような淡い青の氷。海の波が当たり、波しぶきをあげている。

氷山を通った風が私の頬に触れ、冷たく吹き抜けた。氷の大地である南極の空気を感じた。直接肌で感じ取れる一つ一つのリアルに、南極に来たことを実感できた。

「母にも、父にも、妹にも見せたいな。」

そう思った私は、一目散にテキストメールを送った。

「お母さん、体調は大丈夫ですか、元気ですか。私は元気です。
今日、初めて氷山を見たんだ。
感動で心が追いつかないくらいなんだ。
私、南極にいるんだね。
行かせてくれて、ありがとう。頑張ります。」

これから始まる南極授業への熱い思いがわき上がってきた。

夢を叶える『南極授業』が本格始動した。

氷の大陸、南極。その氷の厚さは、平均で約二〇〇〇メートル、最大では四八九七メートルもあり、富士山がすっぽり収まってしまうほど。広さは日本の約三七倍。過去に記録した最低気温は摂氏《せっし》マイナス八九・二℃という信じられない寒さだ。

だが、海も凍りつく南極で暮らす生きものもいる。ペンギンやアザラシ、そして魚やプランクトンなど。

日本では想像もできないような不思議な自然現象や景色の数々。ピンク色に染まった魔法のような空、二〇メートル先が見えない地吹雪など。私は南極でありのままの地球を実感し、自然に圧倒された。そして、地球とともに生きている生命体の一人（一つ）であることを痛感した。

たくましくも愛らしい生きものたち
地球の素肌に触れている感覚の岩脈《がんみゃく》
地軸がわかるくらいの太陽の動き
沈む直前、緑色に光る夕陽
極寒なのに白くならない吐息
白一色の世界に覆われる地吹雪

音が融けだす氷
ミイラのアザラシ
自然の景色を観察して、地球の表情を窺《うかが》う
自然の音に耳を澄ませて、胸に響き渡る地球の声を聴く
刻まれた地球の時間や地球の姿を追いかけ、想いを馳《は》せながら
南極での日々の感動の中で
ヒトのちっぽけさと人間の魅力を感じた

私は第六一次南極地域観測隊の同行者として、令和元年（二〇一九年）十一月から約四カ月間、南極で様々な活動をし、令和二年（二〇二〇年）三月二十日に帰国した。国立極地研究所および公益財団法人日本極地研究振興会が行う「教員南極派遣プログラム」に応募し、この年は全国からただ一人、茨城県からは初めて選ばれた。


「南極に行きたい。」

そう思い続けて約十年。

今、私は第六一次南極地域観測隊として、南極に向かう観測船「しらせ」で氷山を見ている。南極行きの選考に落ちて悔し涙を思いっきり流したこともあった。プログラムに応募する前から、ここに来るまで、様々な出来事があった。

この本では私が高校教師として、氷の大地への挑戦を通して、見たこと、感じたこと、考えたことを書かせていただきたいと思う。

目次

第三章　いざ、南極へ

第四章　ついに到着

第五章　『南極授業』

第六章 南極せんせい

第一章　南極をめざして

きっかけ

二〇〇七年、私は教師になることをめざして東京学芸大学に入学し、さらに理科教育学を深めて地元の茨城県で高校教師になりたいと思い、筑波大学大学院へ進学した。

南極との出会いは二〇一一年、大学院一年生の初夏、地学分野の講義中のことだった。教授が地質や岩石の話をしていたとき、スクリーンに層状の地質と真っ白な氷、真っ青な空の映像が映し出された。私は、心の中で「え、これは、どこ？　こんな世界、見たことない」と呟いた。心の声が聞こえたかのように、教授は、

「これは、私が南極に行ったときに撮影した景色です。南極のことを話しましょう」

と笑顔で語り始めた。講義を担当していた角替先生は、元南極地域観測隊員で、その年の三月下旬に帰国したばかりだった。角替先生は講義の中で、南極の映像をたくさん見せてくれた。

どれもが見たことのない色や形、感じたことのない光。私はすばらしい南極の自然の姿に圧倒され、強く引き込まれた。目をつぶっても瞼《まぶた》の裏に映し出され、心にいつまでも残るほど南極の自然に感動した。そこには「未知の世界がある」と感じた。

しかし、南極は極寒で厳しい環境だ。

「なぜ命を懸けてまで行くのか。」

私の質問に角替先生は、「南極には不思議な魅力があり、未来の地球にとって重要な価値がある場所なのだ」と熱く語った。「不思議な魅力って何だろう。南極のことをもっと知りたい」と、私も胸が熱くなった。

そして、この講義の中で、『教員南極派遣プログラム』のことを初めて知った。


教員南極派遣プログラムは、全国から公募で選ばれた現職の教員を南極地域観測隊の一員として南極・昭和基地へ派遣する事業だ。教員は昭和基地から衛星回線のライブ中継で「南極授業」を行ったり、観測隊の様々な部門に同行して一緒に活動したりする。国立極地研究所および公益財団法人日本極地研究振興会が主催し、文部科学省（南極地域観測統合推進本部事務局）と連携して実施している。教員には帰国後も、南極観測の意義や魅力を、次世代を担う子どもたちをはじめ多くの皆さんへ届ける任務がある。


その日、私は大学から帰宅後、すぐに母に電話し、南極のことを話した。「教員も観測隊として南極に行けるプログラムがあるんだって。私も、教師として南極に行きたい。」そう言う私に、

「まず、教員にならないとね。

全国選抜の南極はもっと厳しいと思うわよ。」

母は実に冷静だった。まったくその通りだ。私の両親はともに教員で、教師としての先輩である。気持ちを引き締め、まずはとにかく勉強に励まなくてはと思った。

このときから、「南極」が私の関心のキーワードとなった。新聞やテレビ等で「南極」の言葉を見たり、聞いたりしたときは、「おっ、南極のことだ」と、必ず立ち止まるようになった。

教員採用試験

二〇一二年七月、茨城県高校教員採用試験の一次試験を受験した。高校の教科・科目の中でも生物は例年、とりわけ倍率が高い。

一次試験に続いて、八月には二次試験。そして、この面接ではちょっと予想外の事態が起こった。

「高校のとき、応援団に入っていたんですね。チアではなくてですか?」

と面接官の一人が履歴書を見ながら、私に質問した。

「はい。応援団です。学ランを着て野球応援などを行いました。」

私の高校入学式当日は、春雨が降る寒い日だった。雨の中、昇降口に学ランを着て裸足で立つ応援団の姿があった。まったく微動だにしない立ち振る舞い。そのとき突然に地声で校歌を歌う姿に衝撃を受けた。自分にない新たな世界観を感じ、入部した。

「それは本格的ですね。何かやってもらってもいいですか。」

私は、思わず目を丸くしたが、

(ピンチはチャンスにもなる。やるぞ。やるからには真剣だ)

と思い、気合を入れた。

「わかりました。ただし、他教室でも試験中ということで、十分の一いや百分の一の声の大きさにて失礼させていただきます。押忍《おす》！」

私は試験場で応援団の型《かた》を真剣にやり切った。

ドキドキしながら面接官に目を向けると、「おー」と拍手をしてくれていた。

私には五歳年下の妹がいる。妹は生まれつき結節性硬化症《けっせつせいこうかしょう》という難病を抱え、毎日薬を飲んでいる。顔にニキビのような赤い斑点が無数にあり、自閉症や知的障害なども併せ持っている。

妹は物心つく前から定期的に大学病院へ通院して診察を受け、手術を何度も受けている。

私は妹の病気を治すため医師になることを幼い頃から志し続けていた。医師になるため、医学部合格者を多数輩出している茨城県立水戸第一高等学校に行くと決めていた。

地元の関城《せきじょう》町から水戸一高までは、片道二時間くらい。往復に四時間をかけて、三年間通学したが、医学部受験に失敗。不安の中で思い悩んでいた。

そんなある日、私は妹の通院に付き添って大学病院に行った。

妹の診察はいつも平日で、私は夏休みなど学校が休みのときは必ず付いていき、診察室にも入れてもらっていた。妹の主治医は変わらずにずっと同じ先生が担当してくれていて、私が小学生の頃から知っている。私が医師を志し、医学部を受験したことも知っている。

「おねえちゃんも来てくれてよかったね」と妹と話しながらも、私の表情が暗いことを察知した妹の主治医は、「いつも元気なお姉さんがどうしたのかな」と私にも声をかけてくれた。うつむく私にしびれを切らした母が「きちんと自分で話しなさい」と喝《かつ》を入れた。

「医学部に落ちました。」

妹の主治医は、まっすぐ私の目を見た。そして、いつも妹に話しかけている穏やかな口調で、

「あなたが向き合いたいのは病なのかな、人なのかな」と問われた。

すごく、とてつもなく胸に響いた。

その日以来、考えを巡らせていたところ、高校の校長先生から、

「北澤が教師になったら面白いんじゃないか」と言葉をかけられた。

高校時代の私を温かく見守ってくれた恩師である稲葉校長先生。その言葉に、私は「教師になろう」と決意した。夢や目標は、人との出会いの中で抱いていくものでもあるかもしれない。

採用試験の結果は合格。努力が実り、私は高校教師になることができた。

応募までの道のり

二〇一三年三月、筑波大学大学院を修了。同年四月一日、初任校である茨城県立古河《こが》第三高等学校での勤務が始まった。初日を終えた私は、

「これで教員として南極へ応募できるね」

と、明るい声で母に電話した。すると、母はすかさず、

「何を言っているの。今日、スタートしたばかりで、半人前にもなれてないじゃない。選ぶ人も、担任の経験さえまだない先生を南極に連れていきたいかしらね。」

痛烈なツッコミをもらってしまった。

初年度は副担任で、サッカー部の顧問を務めることとなった。私にサッカーの経験はなかった

が、雨の日も晴れの日も毎日、グラウンドで生徒と一緒に走り回り、部活動指導に奮闘した。その成果は日焼けとして表れただけでなく、四級審判員の資格を取得し、審判を務められるようにもなった。

サッカー部の部員数は多く、先輩教員二人と私の三人で顧問を務めていた。部活動を通して人間力を高める指導者でありたいと理想にまっすぐな熱い先輩教員とともに過ごす中で、生徒以上に私も成長させてもらえた。

そして、もちろん理科の教師として、授業に向けて教材研究をしながら毎授業の準備をし、授業後はふり返りをして次の授業に臨む。東奔西走、毎日が必死だった。

しかし、慌ただしく日々を送りながらも、南極行きの夢は片時も忘れたことはなかった。私はずっと変わらず、高校教師として南極へ行く夢を抱き続けていた。合間を見つけては、インターネットで南極のことや観測隊について調べた。南極の自然を学ぼうと本を購入し、勉強も進めた。国立極地研究所のホームページを見ていると、ちょうどクリスマスの日、来年度に向けて教員南極派遣プログラムの募集が始まった。「どんな先生が行くんだろう」と思いながら、掲載された募集要項を何度も読み返していた。

翌二〇一四年四月、教員二年目。私は初めて一学年のＨＲ《ホームルーム》担任を務めることになった。

「まだまだ始まったばかり。まずは、担任としてしっかり頑張りなさい。それからです。」

南極に応募したいと言い出すことをわかっていた母は、先を制して私にそう言った。

六月下旬、文部科学省から第五六次隊の隊員等名簿が発表された。いつか自分もと思いながら、私は教員二名が記載された名簿を羨望《せんぼう》の眼差《まなざ》しで見ていた。

ＨＲ担任として、悩んだことも嬉しいことも、いろいろなことがあった。どんなときでも真摯《しんし》に生徒に向き合う姿勢を大事に邁進した。生徒とともに過ごす中で、自分なりに教師の魅力を感じ始めてきた時期だったと思う。しかし、教師としての信念や魅力を具体的に自分の言葉で表現することはまだ難しかった。

十二月二十五日、また来年度に向けて教員南極派遣プログラムの募集が始まった。悔しいが、まだ応募はできない。国立極地研究所の広報誌として、「極」や「ぷれ極」があるが、この一年かけて私は創刊号からすべての号を読破した。

二〇一五年、教員三年目を迎えた春。

「一人でできたわけではないけれど、生徒も周りの先生たちも協力してくれて、ＨＲ担任として一年間をなんとか務めることができた。南極……」と、私が話している途中で、

「まだ、卒業生を送り出していないわね。」

母の冷静な声が響いた。

今年度は、前年度に担任をしていた学年を持ち上がり、二学年のＨＲ担任を務めることになった。そして部活動は、サッカー部の顧問に加え、新たに科学部の顧問となり、両部を兼任することになった。

また冬が来て、十二月九日。教員南極派遣プログラムの募集が開始された。今年は昨年より、日にちがちょっと早くなっていた。募集要項の応募資格の一つをじっくり読んだ。

次の事項を含めて、南極昭和基地からの「南極授業」の企画が提案できること

①南極の自然、観測隊員の業務姿、南極観測の意義等についての情報発信
②児童・生徒の南極の自然への理解、興味、関心の向上、地球環境、国際協調に関する意識の向上

「私には、どんな『南極授業』ができるだろうか。」

南極について教材研究という視点で調べ、勉強を進めていくことにした。休日には立川《たちかわ》市にある国立極地研究所の南極・北極科学館へ行き、一日中館内をウロチョロし、展示物の解説を読み込んだ。

国立極地研究所のホームページから、南極地域観測隊の報告書である南極観測報告を見つけ、各次隊の報告を読み進めた。これは何度も何度もアクセスしている中で見つけたものだった。第一次隊から閲覧することができ、報告書の他にも南極の自然や観測隊の活動中の様子がわかる写真が閲覧できた。写真も第一次隊から掲載されている。まだ南極へ行ったことはないが、写真を眺めながら南極へ思いを馳せることができ、「絶対に高校教師として南極へ行く！」と、夢がどんどん膨らんでいった。

あるとき、南極・北極科学館の通路に設置されていたある物に気づいた。それはカプセルトイ。よく覗《のぞ》いてみると、ペンギンやホッキョクグマ、雪上車《せつじょうしゃ》や昭和基地など南極・北極に関するフィギュアが入っていた。私は一瞬で目を奪われ、心も鷲掴みされた。

「わーーっ！」

心の中だけではおさめられない声が思わず漏れ出てしまった。ミュージアムショップのレジにいた方が、

「これ、いいでしょ。南極に行ったら本物に会えるよ。雪上車を運転した頃を思い出すな」

とニコニコした笑顔で話しかけてくれた。元南極地域観測隊員だったのだ。私はそんな方に出会えてさらに嬉しく、しばし会話を楽しんだ。

以来、科学館を訪れたらカプセルトイをすることが私のルーティンになった。どんどん増えていく南極グッズたちを眺めながら、

「高校教師として南極に行く。南極に行って本物を見たい。諦めないぞ」

と心を奮い立たせた。

初挑戦

二〇一六年四月、三年間の新採研修も修了し、教員四年目を迎えた私は、高校三年生のHR担任を務めることになった。

「新採研修も修了しました。南極への思いは変わっていない。」

私が母にそう話すと、

「まずは研修修了できてよかったです。高校三年生の担任として、生徒の人生に携わるのですよ。しっかり覚悟を持ちなさい。」

母は、落ち着いた声で真剣に伝えてくれた。

その言葉は、ジーンと胸に響いた。私自身が悩んで思いを巡らせたように、これから生徒もいろいろな思いを抱いていくだろう。高校三年生の担任は、生徒の進路や高校卒業など人生の岐路に、今まで以上に深く関わっていくことになる。それだけ私にも重い覚悟が必要で、生徒の思いに向き合っていきたいと、改めて強く感じた。

七月、高校三年生の生徒たちのほとんどは部活動を引退し、受験の天王山とも言われる夏を迎え、受験勉強に本腰を入れている様子だ。私は担任として面談を実施し、教科担当として課外授業を行った。進路実現に向けて、生徒たちが必死に頑張る姿を見ていて、私もいっそう気概が高まった。

「生徒たちは頑張っているんだ。私も夢に向かって、生徒と一緒に頑張りたい。」

夢とはもちろん、南極のことである。

その思いを母に話した。

「そうだね。それには、しっかり覚悟を決めないと。

生徒のためにも頑張る。生徒と一緒に夢に向けて頑張る。生半可な気持ちではダメ。」

「わかってる。」

「それがわかっているのなら、覚悟を決めてしっかりと頑張りなさい。」

教員になってから四年目、南極との出会いから六年目にして、初めて母からのＧＯサインを受け取ることができた。

そこから私は、生徒への課外授業もいっそう気合を入れて実施しながら、南極のことも本腰を入れて猛勉強した。南極・北極科学館へも通い続け、展示物の解説を読破していった。

九月、夏休み明けのＬＨＲ《ロングホームルーム》。私は教卓の前に立ち、クラスの生徒一人ひとりの目をゆっくり見つめ、深呼吸して息を整えた。そして、静かに語りかけた。

「今日はみんなに伝えたいことがあるんだ。

それは、ずっと抱き続けてきた夢のこと。

私は高校教師として南極に行き、昭和基地から南極授業をしたいと思ってる。

みんなが受験に向けてひたむきに頑張っている姿を見ていて、私も奮い立った。

覚悟が決まったよ。

私は今年こそ、南極行きに挑戦する。」

生徒たちの反応はというと、みんな思わず目を見開き口を開け、とてもびっくりした様子だった。しばし、笑顔の私とあんぐり顔の生徒とが向き合う時間が流れた。突然のことだったので無理もないかもしれない、と思いながら生徒たちに話し続けた。

「学校の先生には『南極授業』といって衛星回線で南極の昭和基地から日本へライブ中継して授業をする任務があるのだけど、どんな授業をしたいか企画を提出し、応募する全国の先生たち

の中から選ばれて、採用されなくてはならないんだ。私はそれに挑戦しようと思っている。みんなだったらどんな授業を受けたいかな。」

そう言って、私は生徒たちに南極に関するアンケートをお願いした。生徒たちは真剣に答えてくれた。そして、終わりの時間が近づいてきたとき、

「先生、本気なんだね。私も頑張るから、先生も夢叶えて。」

「北澤先生の南極授業、受けたい。」

「南極ってどんなところなのか、実際に行って体験したことを教えてほしい。」

生徒たちは次々に思いを伝えに来てくれた。

こうして、私の南極への初めての挑戦が始動した。


LHRのことを母に話した。

「クラスの生徒たちも応援してくれるなんて。生徒も佑子もみんな受験生だね。頑張らないとね。校長先生にはきちんとお願いしないとね。その前に授業計画を立てて、応募書類を準備して、それを手にして行かないと、覚悟は伝わらないよ。口だけでは、ダメ。本気かどうかは、佑子の行動を見て感じてもらうのだから。」

母の声は冷静ながらも激励に満ちていた。


私は以前から温めてきた南極授業の計画立案を急いで文書にまとめ、応募に必要な他の書類の準備に走った。そして、揃えた書類を抱えて、校長室のドアをノックした。

「失礼します。お時間をいただいてもよろしいでしょうか。」

「大丈夫ですよ。」

「校長先生、私にはずっと抱き続けてきた夢があります。それは、高校教師として南極に行き、昭和基地から南極授業をすることです。」

「南極？　それは、すごいことだ。まあ、まず座りましょう。それから話を聞かせてください。」

校長はびっくりした様子だったが、それと同時にまた面白いことを言い出すのかなと、どこか慣れた様子でもあった。

私が校長室を訪れることはそれまでも度々あった。生徒に本物を使った実体験をと「鶏頭の解剖をさせてほしい」、「探究活動で水ロケットを飛ばさせてほしい」などと、お願いをしたりしてきた。

私は緊張しながら、校長に応募書類一式を渡した。

「南極の昭和基地から南極授業を行う教員が全国公募で募集されています。国立極地研究所と日本極地研究振興会が文部科学省と連携して実施しています」

などと、教員南極派遣プログラムについて説明し、大学院の頃から抱いている南極への夢と、LHRで生徒へ語ったときのことを話した。

校長は、私が考えてきた南極授業の指導案を読み、

「本気なんだね。南極授業を受けられるなんて生徒も嬉しいだろう」と言ってくれた。

「募集要項は出ているのかな」と聞かれたが、今年度の募集要項はまだ出ていなかったので、昨年度の募集要項を渡した。

応募には学校長の推薦書と茨城県教育委員会教育長の承諾も必要だ。募集要項をじっくり読みながら、校長は「いっちょ、私も頑張ろう」と、私の背中を押してくれた。

今年度の募集がちゃんとあるのか不安になりながら、私は国立極地研究所のホームページに日々アクセスし、今か今かと募集の告知を待った。

十二月下旬、冬休みに入った頃、募集要項が発表された。すぐに印刷し、それを手に一目散に校長室へ向かった。「校長先生、募集要項が発表されました。こちらです」と手渡した。校長は「よし」と一言。募集要項を読みながら、「私は何をすればいいかな」と応募に向けて一緒に考えてくれた。応募の締め切りは、翌年の二月十四日必着。私はギリギリまで南極授業の内容を考え、徹底的に練り直すことにした。

私は、南極に出会ったきっかけをくれた角替先生に会いに行き、応募することを伝えた。そして、行ったこともない南極でどのような授業ができるのか、どんな教材があるのか悩んでいることも話した。教員派遣の選考基準には、応募者が作成した南極授業計画案の実現性、実行性、着眼点等から総合的に選考すると記されていた。教授は当時、一緒に南極へ行った教員派遣の先生と連絡を取り、私に紹介してくれた。

年末は慌ただしく過ぎていき、新年を迎えた。二〇一七年一月、今まで集めた南極に関する資料や本を積み上げ、教材となるキーポイントを探しながら読み返した。

生徒たちも近くに迫った受験本番に向けて、必死な毎日を送っていた。私は担任として面談や面接練習をほぼ毎日実施し、放課後は部活動の指導に加えて課外授業も行った。そして、家に帰ってから寝る時間のギリギリまで南極の勉強を続けた。生徒たちも今頃、夜通し頑張っているんだと思うと、私も頑張れた。

二月一日、応募書類を一つ一つ確認し、校長へ提出した。校長は、両手でしっかりと受け取ってくれた。私は心の中で、「どうか」と念を込めた。思い描いてから六年、初めての応募だった。

生徒たちはこの日から自由登校となった。自由登校とはいっても、受験を控えた生徒たちは学校に来ている。個別課外を受けたり、面接練習をしたり、私は生徒と面談を重ねて受験へ送りだした。次第に受験結果も発表され始め、生徒が結果を伝えに来てくれる。これから発表される南極への選考結果に、私もドキドキと落ち着かない気持ちだった。不安や葛藤、希望が渦巻く胸中。生徒たちもきっと同じ気持ちを抱いているのだろうと思った。

三月一日、卒業式。私は初めて卒業生の担任として、HRの生徒たちを連れて体育館へ入場し、それぞれの座席へと導いた。

壇上の袖で、マイクを通して生徒一人ひとりの名前を呼ぶと、生徒たちは気持ちを込めた返事で応えてくれた。溢《あふ》れてくる涙をこらえ、震える声を必死で抑えながら、生徒の名前を呼んだ。呼名《こめい》は最後まで真摯に貫くと決めていた。

退場のとき、生徒のもとへ歩いていき、立ち止まって起立の合図をした。すると、「ありがとうございました」と一人の生徒の大きな声が聞こえた。

それに続くようにHRの生徒全員で、

「ありがとうございました」と声を合わせて礼をしてくれた。

全員がそろった厳粛な礼だった。

このとき、ついに涙が溢れた。思いがけない感動で、心が震えていたが、私も「ありがとうございました」と生徒たちに気持ちを伝え、礼をした。教師になれて、よかった、そう思った瞬間だった。生徒たちがそう思わせてくれた。生徒が教師として私を育ててくれたのだと思う。これからも、生徒とともに成長していけるような教師、ともに生きる存在でいようと、教師としての軸を心に決めた。

三月も半ばを過ぎた頃、校長から校長室に呼ばれた。選考結果が出たのかもしれない、私はそんな予感を覚えながら、校長室をノックした。

「残念だったな」

校長から選考結果が口頭で伝えられた。

私は、唇をかみしめながら、

「校長先生、本当にありがとうございました。力及ばず、すみませんでした」と必死で応えた。両手に力いっぱいの握りこぶしを作りながら、

「校長先生、私、諦めたくないです。もう一度チャンスをください。頑張らせてください。」

思いを伝えた。

私がどんな表情をしていたのか、自分でもよくわからないが、相当複雑な顔をしていたのだろう。申し訳なさと悔しさと、そして熱い思いがたぎる、いろいろな気持ちが混在した表情だったと思う。校長はそんな表情をしている私の顔をまっすぐ見て、「そうだな」と温かい声で言葉をかけてくれた。

その日の夜、私は母に結果を伝えた。

「一度で行けたらラッキーかもしれないけれど、そんなに甘くないってことだね。のぶちゃんにもお姉ちゃんが南極から授業をする姿を見せてあげたいね。」

母の言葉を受け、いつまでもくよくよしたってしょうがない。何が足りなかったのか、どうすればいいのか具体的に考え、行動していこうと思えてきた。沈没している場合じゃない。私の心に火が点いた。

「そうだ、九九%だ。」

九九%

九九%。この数字が意味するものは、実は私に告げられた高校入試での不合格率だ。

中学三年生になってすぐ、担任との進路面談で「進路希望先の高校は?」と聞かれた。私は「第一志望校は、水戸一高です」と明るくはっきりと伝えた。それを聞いた担任の先生から、「うん? 水戸一高? ……九九%、無理」と告げられた。

(そんな……)と私は、その場で少し考え込んだ。

だが、次の瞬間、ハッとした。

(九九ってことは、ゼロじゃない!)

「一%ありますね、合格可能性。私、頑張ります。諦めません。」

私は顔を上げて、まっすぐ前を見て担任の先生に決心を話した。

前述したように、私は、妹の病気を治すため、医師になることを幼い頃から志していた。医師になるために医学部合格者が毎年多数いる水戸一高に行くと決めていたのだ。

しかし、そんな矢先、私はおたふくかぜをこじらせて約一カ月間、入院を余儀なくされてしまった。入院中、担任の先生がお見舞いに来てくれた。

「北澤には、これが一番のいい薬になるかな」

と、水戸一高のパンフレットを渡してくれた。そのとき、本当は応援してくれているのだとわかり、嬉しさがこみ上げてきた。このとき、私の中で九九％無理という言葉は完全に消えた。

その後、なんとか推薦入試を受験した。推薦入試の合格発表は、担任の先生が受験校まで行き、入試結果を聞いてくることになっていた。

合格発表日の放課後、父とともに三者面談し、入試結果が告げられることになっていた。面談が始まっても、担任の先生は合否をなかなか言い出そうとしない。ダメだったことを察知させるような様子だった。ずっと黙っていた父がしびれを切らし、「先生、結果の方は？」と口を開いた。

「合格です。おめでとうございます。」

それを聞いた私は思わず、「早く言ってよ」と返した。担任の先生は、関城中学校から水戸一高までの往きの道のりは重圧を感じてとてつもなく長く、合格通知書を手にした帰りは軽やかに早く感じたという。面談が終わると、私は駆け出し、学校の駐車場に停めた車の中で待っていた母と妹のもとへと急ぎ走った。

九九％

私は逆境のとき、いつもこの数字を思い出す。

そして覚悟を決め、奮起する。

ともに生きる心、挑戦への原動力

妹は地元の小学校に通っていた。私は六年生で、一年生の妹と手をつないで毎朝登校した。ある日、学校の休み時間に妹に会いに行こうと思い、妹の教室に向かった。教室に近づいたとき、「バカ！　バカ！」とはやし立てる大声が廊下にいる私のところまで聞こえてきた。教室の中を見ると、その言葉は妹に向けられていた。妹の周りを取り囲み、妹めがけて砂をかけている光景があった。私は一目散に妹のところに駆け寄り、

「何なの？　何してるのよ！　どうしてバカと言われなきゃいけないの？　妹があなたたちに何か悪いことでもしたっていうの？」

と強い口調で必死になって言い寄った。いじめていた人たちは逃げていってしまった。抱き寄せていた妹の顔を見ると、

「おねえちゃん」といつものようにニコニコしていた。

下校し、私は妹と家で両親の帰りを待っていた。母が帰宅するとすぐに、私はその日に学校で起きた出来事を母に話した。母は、

「よく頑張ったね、伸子を守ってくれたんだね」

と言って、私と妹をそっと抱きしめてくれた。母の目も涙で潤んでいた。このとき、私は妹を守

るために、これからも頑張ると心に決めた。

昔、家族で電車に乗ったとき、乗客がいる車内で、妹は満面の笑みでジャンプをし、ピョンピョン飛び跳ねていたことがあった。妹にとって初めて電車に乗った日だった。

「のぶちゃん、電車に乗れて嬉しいんだね。」

私はニコニコしている妹に話しかけながら、揺れる車内で妹が転ばないように妹の両手を握っていた。しかし、私はなんだか視線を感じ、周囲を見渡した。同じ車両に乗っていた人たち皆が私の妹を凝視していた。その視線からは、何とも言えない冷たさを感じ、私は無性に悔しくなった。

妹のことを初めて見た人たちにとっては、異質なものに思えたに違いない。けれど、そんなに白い目を向けなくたっていいじゃないか、妹は嬉しくて、その感情を表していただけなのだから。嬉しいとき、大抵の人は笑うという表現をするかもしれないが、妹にとってはジャンプが嬉しさの表現方法で、妹の行動の特性の一つだ。私はその電車での出来事が、今でも生々しく昨日のことのように忘れられない。確かに、ちょっと変だな、異質だなって思う心はあると思うし、私もそれを否定はしていない。だが、「どうしたのかな」と、少しでも理解しようとする心があれば、関心があったら、世の中はもうちょっとお互いが生きやすくなるかもしれないのにと、私は幼心に感じていた。

一方で、嬉しいこともあった。妹の誕生日のお祝いに家族でディズニーランドに行ったとき、妹は嬉しくて、案の定、満面の笑みでジャンプをして何度も飛び跳ねた。私は電車でのことが蘇った。その次の瞬間、

「おめでとうございます」とキャストの方の大きな声が耳に飛び込んできた。私はビックリして顔を上げると、私たち家族の周囲にいたゲストの人たちも「おめでとうございます」と、次々と妹に声をかけてくれ、パチパチパチと拍手をして、妹の誕生日を一緒に祝ってくれた。そのとき、妹が何の壁もなく受け入れられ、人々からの温かい幸せの空気に包み込まれているように感じた。妹を中心にみんなで一緒に幸せを共有していることに感動し、私は涙が止まらなかった。

まさに、「ともに生きる心」を他者と共有し、実体験した瞬間だった。


私が子どものときから、とにかく家族全員で「ともに生きる」ことが家族の目標だった。家族みんなが生きていくためには、お互いの支え合いが必要だった。

妹は毎日毎回薬を飲みながら、発作《ほっさ》と戦い、必死で生きている。その必死に生きる妹の姿から、私は生きる力を学んだ。夢を持ち、夢に向かって努力できること、悩むこと、そのすべてがありがたいことであると考えるようになった。

これが私の生きる原動力《げんどうりょく》であり、挑戦への原動力になっている。私は心が折れそうになっても、いつも思い出し、絶対に諦めないという強い思いを持ち、自らを奮い立たせて行動し続けてきた。

極地研にて

この年（二〇一七年）の夏、私は国立極地研究所の一般公開に参加した。南極や北極の観測について周知するイベントで、例年夏の時期に開催され、「ライブトーク」など様々なプログラムが実施されている。私は公開日の約一カ月前に、事前申し込み制で抽選の「いきもの探検ツアー」に申し込んだ。おひとりさま（一名）での申し込みのおかげか、幸い当選の連絡メールが届いていた。

立川駅を降りて、真夏の日差しが降り注ぐ道を歩くこと約二十分、国立極地研究所にやっとたどり着いた。汗でびっしょりになっていたが、興奮している私にとって汗なんてまったく気にならなかった。早速受付を済ませ、ツアーの列に並んだ。周りを見渡すと、スタッフＴシャツを着た研究者たちが、来館者へ南極のことを紹介していた。

あっちでもこっちでも南極のことばかり、館内中が南極で埋め尽くされて活気づいていた。「すごい、南極でいっぱいだ。」私はさらに興奮し、ワクワクして胸が高まった。探検ツアーでは南極の生きものたちの貴重な剥製《はくせい》を間近でたくさん見ることができた。私は思わず鼻息が荒くなるほど感激していた。そして、研究者からの説明を一つも漏らさないようにメモを取りまくった。一日中館内を巡り、南極のことを体験しながら学び、研究者や建物などの整備をする方から直接話を聞くことができた。私にとって南極は非日常で未知の世界。だが今、目の前でここにいる人は南極に行った経験がある元観測隊の方々。南極でのことを、さらっと日常のことのように話していた。そんな姿がまぶしく見えた。いつか私も、と心が熱くなった。帰りの電車の中で、今のこの思いを忘れないようにと手帳に綴《つづ》った。

秋頃また、休日に南極・北極科学館を訪れた。いつものように、何か新しいものはないかと探していたとき、私は一冊の雑誌を手に取り、近くのベンチに座って読み始めた。その雑誌の中に掲載されていた国立極地研究所の先生の言葉が目に留まった。

『南極は、科学も育てるが、人間も育てる』

私はガツンッと衝撃を受け、心が強く動かされた。

「この言葉の意味を、教師として南極に行って学ばなければ。」そう強く思った。観測隊なのだから、科学を育てるということは理解できる。

しかし、人間も育てるとはどういうことなのか。

子どもたちの成長に携わる立場である教師として、『人間も育てる』南極を肌で感じ、学びたいと心に決めた。「高校教師として南極に行く」、私は改めて、この夢を胸に抱いた。

ホームページをチェックしていたとき、あるイベントのお知らせを見つけた。それは、「サイエンスカフェ特別編～サイエンスバー～南極最新事情」というタイトルだった。二〇一七年三月に帰国された第五八次南極地域観測隊の本吉隊長が、南極からみた地球環境の変化とその生態系への影響など南極の最新事情を話し、併せて開設六十周年を迎えた南極昭和基地の今を伝えるという内容だった。

勤務時間終了後に出発してもなんとか間に合いそうな時間だった。どうしようか少し悩んだが、観測隊の隊長から直接お話を聞くことができるなんて、めったにない貴重な機会。「よし、行こう」と申し込んだ。

十一月の初め、立川駅に降り立った。秋風が吹き、夜空から落ち葉がひらひらと舞う季節を感じながら、私は会場へ急ぎ走った。

本吉隊長が入場し、講演が始まった。私は受付で配布された資料にメモを取ろうと、準備万端でペンを持って構えていた。だが、いざ話が始まると、隊長の熱い語り口調にくぎ付けになった。本吉隊長の表情は穏やかながらも勇ましかった。日に焼けた顔からキラキラ輝く瞳が印象的だった。まさに、過酷な環境である南極で仲間とともに生き抜いてきた力強さと、人間的な温もりのオーラを感じ、私はペンを握ったまま、夢中になっていた。

講演中、本吉隊長が南極で採集した岩石や鉱物を直接手に取って観察できる機会が設けられた。

「これが、南極の石。はるばる南極から来たんだねえ。」

私が呟いていると、

「こんなものもありますよ」と隊長が話しかけてくれ、ピンク色の鉱物を見せてくれた。

「え、これって、もしかしてルビーですか。宝石が南極にあるんですか。」私は目を見開いて尋ねた。

「はい！」隊長は満面の笑顔で、南極の岩石や鉱物の魅力について教えてくれた。間近で見た本吉隊長からは、探究心がいっぱい感じられて、私もワクワクした気持ちになった。

講演終了後、隊長は参加者に囲まれていた。私は資料を読みながら隙間ができるのを待った。

「今だっ」と隊長のもとに駆け寄り、「高校教師として南極に行く」夢を伝えた。私は緊張のあまり、手が汗ばんでいた。昨年は選考で落ちましたが諦めずに頑張りますと決意を述べた。私の思いを聞いた本吉隊長は、「諦めずに挑戦し続けてください」と私の心をさらに奮い立たせてくれた。

帰り道、澄んだ夜空には星が見えていた。私は、その星に願いを込めるように、「来てよかった、本吉隊長に会えて本当によかった。諦めずに挑戦し続けます」と誓った。

二回目の挑戦

もうすぐ冬休みになる頃、今年も教員南極派遣プログラムの募集が開始された。印刷した募集要項と準備してきた授業案などの応募書類を抱え、私は校長室のドアをノックした。今年も応募させてほしいと、校長に懇願した。

しかし数日後、校長室に呼ばれ、

「定期異動の対象年度者のため、今回の応募は難しい」

と校長から告げられた。

私は、頭の中も心の中も真っ白になった。

校長も悔しがっている気持ちが見て取れた。私は唇をかみしめた。応募すら、……できない。忽然《こつぜん》と突きつけられ、自分ではどうしようもできない現実を受け止めきれていないまま、私はその場に呆然《ぼうぜん》と立ち竦《すく》んでいた。私の二回目の挑戦が終わった。

帰宅後、母へ電話した。

「そうなのね。校長先生から応募が難しいと伝えられたとき、何て言ったの？」

「県に聞いてくれてありがとうございますと言ったよ。」

「他には？」

「他に？　他には……、言ってないと思う」

「大事なことがあるでしょ？

十一月のサイエンスバーのとき、本吉隊長から何て言われたのか、思い出しなさい。」

母に聞かれ、私は思い起こした。

「そうだ。そうだった。」

私は携帯電話を片手に持ちながら顔を上げ、こみ上げてくる熱い思いとともに涙が溢れ出てきた。

『諦めずに挑戦し続けてください』、本吉隊長は私にそう言ってくれた。

「そうでしょ。本吉隊長に『はい』と佑子は約束したんじゃなかった？」

翌日、私は校長室へ行き、

「昨日は、くよくよしてしまって申し訳ございませんでした。校長先生、諦めず頑張ります。これからもよろしくお願いいたします」

と勢いよく礼をした。

「はい、わかりましたよ。」校長は笑顔で答えてくれた。

来年度の募集要項はまだ発表されていないが、このとき私の中で、南極行き三回目の挑戦へ、始まりの笛が鳴った。

異動

二〇一八年四月、私は守谷《もりや》市にある茨城県立守谷高等学校に異動となり、新たな勤務校で教員六年目のスタートを切った。守谷高校の校舎は広く、廊下をさまよって迷子になりながらの初日だった。職員会議や研修など、びっちり詰まったスケジュールを終えた夕方、私は校長室を訪ねた。

「どうぞ。」

「失礼します。校長先生、お時間を少し頂戴してもよろしいでしょうか。」

「はい、いいですよ。」

私は深く息を吐き、まっすぐ校長を見つめた。

「校長先生、私には成し遂げたいことがあります。教員南極派遣プログラムに応募させていただき、南極・昭和基地から守谷高校へ南極授業を実施することです。よろしくお願いします。」

私は頭を下げ、勢いよく礼をした。

「なるほど。前任校の校長先生からよろしく頼まれているよ。私はね、そうやって、夢を持って行動を起こしてくれる気概がある教師は大事だと思うんだよね。頑張ろう。」

校長はにっこり微笑んでくれていた。

「ありがとうございます。頑張ります。」

私は、再び勢いよく礼をして校長室を後にした。

南極観測シンポジウム２０１８

ゴールデンウィークに入った頃。いつものように国立極地研究所のホームページを見ていると、一つのお知らせに目が留まった。それは、「南極観測シンポジウム２０１８」開催告知。

南極地域観測事業や学術・科学技術を取り巻く社会的、国際的な状況にも変化が生じている最中、国立極地研究所では時代に沿った新たな南極地域観測事業の将来構想を検討するため、二〇三四年頃と見込まれる次期観測船就航を睨《にら》んだ将来構想の検討を進めているとのことだった。
将来構想に盛り込むべきサイエンスの方向性について、広く研究コミュニティから提案を募り、わが国の南極地域観測事業に関心をお持ちの多数の方々のご参加と忌憚《きたん》ないご意見をいただく場として、「南極観測シンポジウム２０１８」を企画したという。

そして提案募集概要には、南極での観測研究を実施しようと考えている方であれば、どなたでもご提案でき、ご自身が実施しない場合であっても、こういった観測研究を実施してほしい、あるいは実施すべきであるといったアイディアをお持ちの方のご提案も歓迎しますと書かれていた。

「これだ！」と思った。実は提案したいことが私の心の中ではもう決まっていたのだ。

それは、高校生を南極へ連れて行くこと。

単なる思いつきではなかった。実は以前から、高校生も南極に行くことができたらいいのにと考えていた。その頃、ちょうどあるアニメも人気を呼んでいた。内容は、南極行きをめざして女子高生たちが絶対に諦めずに行動し続け、同行者としてともに南極へ行く物語だ。私は、「高校生が南極に行く。実現できたら素敵なことだな」と夢を膨らませていた。

高校の修学旅行で海外に行ったり、海外研修に高校生が参加したりしている。高校生が南極に行くことも決して夢物語ではないと思った。

それに、国立極地研究所では「中高生南極北極科学コンテスト」が二〇〇四年から実施されていた。南極や北極で実施したい、観測・実験や調査、あるいは極地の自然環境を活かした技術開発の提案を広く募集するコンテストだ。応募された中で優秀な提案は南極地域観測隊や北極での観測チームが実施していた。それならいっそ、受賞した生徒を極地へ派遣し、提案した観測を行ったら、もっと深く広い学びになっていくのではないかと考えていた。

南極に関する本を読んでいたとき、「南極は、地球がもっとも地球らしく、人間がもっとも人間らしくいられる場所」であり、「南極を知ることは地球の未来を読み解くこと」であると書かれていた。まさに、地球の未来、社会を創造していく担い手である高校生にとって、学ぶべき大切なもの、そのすべてが南極に存在すると思えた。

高校生の発達段階は、国家や社会に広く関心をもって社会形成者の一人としての自覚が芽生えはじめ、社会とどのように関わっていくか自分の人生をどう生きればよいか進路に思い悩む時期であると言える。そのような時期に、伝承や知識、情報だけでなく、自分の体で、心で直接、経験することが大切だと考える。南極の魅力を体感し、南極での実体験すべてが将来を創造して生きていく糧となり、南極での体験を通してどのように社会に働きかけ貢献していくか熱い志が育まれると期待できる。

そして、南極での共同生活を通し、地球の未来や社会を自ら主体的に協働的に創造する態度や実践力の育成につながると考えた。

私はその構想に意気込む一方で、同時に不安にも襲われていた。

「シンポジウムで提案発表する人たちは、世界的な研究者ばかりかもしれない。その中で、一度も南極に行ったことがない、海外旅行にも行ったことがない、そんな一人の高校教師である私が発表するなんてお門違いかもしれない。」

そう思ったが、

「募集内容には南極地域観測事業に関心をお持ちの方々からと書いてあるし、きっと大丈夫なはずだ。たとえお門違いであったとしたって、そんなことは構わない。

高校生が南極に行けたら本当に素敵なことだし、実現を本気で願っている一人の高校教師として提案発表に挑戦しよう。」

私は決意を固めた。

すぐに提案要旨の様式をダウンロードし、急いで作成に取り掛かった。このとき、締め切りまでは約二カ月あったが、その前に校長の許可を得る必要があるし、要旨だけでなく発表のスライドも作成して提出しなければならなかった。許可をいただくお願いに手ぶらで校長のもとへ行くわけにはいかない。

いつも母に相談してきた私だったが、このときばかりは、すぐに電話をしなかった。きっと母も同じことを言うに違いないと確信したからだ。シンポジウムで、私は具体的にどんな提案をしたいのか、そして、その提案は日本や世界にとって、どのような未来への夢につながるのか、まずは私自身で考えて動き出してからでないと始まらない。

学校業務を終えた後で、夜な夜な学習指導要領を読み込み、将来構想について具体的に理解するために経済産業省や内閣府の資料を調べ、マーカーで印を付けながら考えを深めていった。

不安と葛藤

こうやって文章に書いているとなんだか、夢や目標に向かって一心不乱、いつでも前向きに元気よく行動している人間のように映るかもしれない。書いている私自身でもそう思ってしまいそうだが、この頃の私の心情は、正直、不安や葛藤が九割以上を占めていた。

異動したばかりで、まだ慣れない新しい環境の中、疲れていなかったと言えば嘘だ。自暴自棄な気分になる夜もたくさんあった。このまま頑張っていて、果たして本当に南極に行ける日が来るんだろうか。そんな感情に襲われ、布団の中で涙を流すことも多かった。

ただ、そんなとき、いつも思うこと、呼び起こされることがあった。それは妹と両親のこと、家族の顔だった。難病をかかえて必死に生きる妹から、私はいろいろなことを教わった。ここで私が勝手に諦めるわけにはいかない。信じてくれている家族の顔を思い浮かべながら涙をぬぐった。そして、頑張ろうと言ってくれた校長、南極への夢を語ったときに「私も頑張るから、先生も夢を叶えて」と伝えてくれた生徒たち、「諦めずに挑戦し続けてください」と言ってくれた隊長、応援してくれている人たちのことを思い浮かべて、私は布団から起きあがり、机に向かった。

高校生南極派遣プログラムの提案

なんとか形になったところで、私は母に電話をし、シンポジウムの募集内容と作成した提案要旨を説明した。「やりたいと思ったなら、本気で頑張りなさい」と一言、励ましてくれた。

翌日、私は校長室に向かった。校長は書類に一通り目を通すと、

「高校生が南極へ行く。いいね、夢がある。ここまで要旨を作ってきちゃって、ダメとは言えないよ。本気の思いは伝わりましたよ。頑張っていってらっしゃい。」

「ありがとうございます。ただ気がかりなことがあるんです。」

「どうした？」

「募集内容の、ここです。」私は指で示しながら説明した。

応募の提案内容を国立極地研究所に設置した南極観測将来構想タスクフォースで確認し、シンポジウムの趣旨に適さないと判断した場合は、シンポジウムでの発表をお断りさせていただく場合があると記載されていた。発表の適否判断についてであった。

「提出してみなきゃわからないでしょう。」

校長はいつものように笑顔だった。当たり前の一言を言っただけかもしれないが、私には頼もしい一言に感じ、背中を押してくれた気がした。

「私もそう思います。募集締め切りまで詳細を詰めていきます。」

それから再び学習指導要領や文部科学省、経済産業省などの資料等を調べ、要旨作成を進めていった。私だけではわからない事柄は、校長に相談した。学則や単位認定等、校長も一緒に調べてくれて資料を印刷し、渡してくれた。書き上げては読み直しを繰り返し、校長に何度も赤字で添削してもらいながら要旨が完成できた。それは募集締め切りの前日だった。完成した要旨を添付し、神社にお参りするときのように両手を合わせ、目をつむって、

「どうか、よろしくお願いします。」そっと呟き、メールの送信ボタンをクリックした。

「よし、ここからは発表のスライドを作るぞ。発表まであと一カ月だ。」

発表適否の連絡がいつ来るかはわからない。その連絡を待ってから作り始めたのでは、きっと間に合わない。修士論文の発表スライドを思い出しながら、懸命に作成を進めていった。


七月上旬、国立極地研究所から一通のメールが届いた。それは、南極観測シンポジウムにおける提案発表のプログラム決定に関する内容で、当日のプログラムが資料として添付されていた。

「ドクンッ」

自分の鼓動が胸に響き渡って自覚できるくらい、心臓がバクバクしていた。深呼吸して覚悟を決め、添付ファイルを開いた。しっかり目を開けて、プログラムを上から順番に読み進めていった。

第二部　午後一時〜午後一時一五分
六.「高校生南極派遣プログラムの提案」北澤佑子（茨城県立守谷高）

「あった……。」

私の名前を見つけた。

「私、発表してもいいってことなんだよね。」

思わず、プログラムが開かれているパソコン画面に向かって、問いかけていた。

印刷し、すぐに校長のもとへ向かった。

「さきほど、極地研からメールが届きました。校長先生、載っています。」

勢いよく走ってきたせいで息が上がっていた。

「おめでとう。発表に向けてさらにひと踏ん張りですね。」

校長はプログラムを見ながら、いつものように微笑んでいた。

その日の夜、

「佑子の他には、どんな方が発表するの？」

母からの質問に、私は「はっ」とした。

プログラムに自分の名前を見つけて興奮していた私は、まったく気づいていなかった。改めて発表者の氏名とその横に書かれている所属先を確認した。

「極地研と大学の名前しか載ってない。研究者や大学の先生だけみたい。

高校の先生は、私一人だけ。」

「えっ、そうなの？」

母もビックリした様子だった。

「場違い、なのかも……。」かすかに聞こえるくらいの小さな声で呟く私に、

「発表してOKって判断されたから、プログラムに名前が載っているんでしょ。

自信を持ちなさい。

そうじゃないと、せっかくOKしてくれた人に対して申し訳ないでしょ。その人のためにも発表を頑張らないとね。きっと、佑子の発表を待ってくれているよ。」

母は喝を入れてくれた。私は発表に向け、奮起した。

いよいよシンポジウム当日の朝。

国立極地研究所へ到着し、発表会場への重い扉を両手でグッと開けた。

「広い……」

発表会場の広さに圧倒され、入り口付近で立ち竦んだ。係の方に声をかけられて席へ案内され、着席した。目の前のスクリーンの大きさにも驚いた。


二〇一八年七月三十一日、「南極観測シンポジウム2018」が始まった。

研究者や専門家の発表が続き、ついに、私の順番が来た。名前が呼ばれて返事をした途端、手が震えてきた。手だけじゃない、足も声も震えていた。自分の心臓が鳴っている音が体中に響いて聞こえた。

演台に立ち、ゴクリとつばを飲み込んでから顔を上げ、両親を探した。二人とも笑顔だった。大きく頷く両親を見て、勇気がわいた。

(よし、いくぞ。)そう心の中で叫び、発表を始めた。


「高校生南極派遣プログラムの提案」


発表後には質疑応答の時間が設けられている。「何もないかもね」と両親と話していた。提案内容に興味関心を持ってもらえるとは思っていなかった。

だが、予想外だった。

予想に反して、次から次へと質問や意見が飛び交った。どれも前向きな内容だった。

そして、

「北澤先生は、いつの次隊で南極に行かれたのですか」と質問された。

「私は南極へ行ったことはありません。南極に行かれた方々から熱い思いを感じています。」

そう答えると、会場が騒めいた。ここの会場にいるほとんどの人は南極に行ったことがある経験者ばかり。この騒めきはきっと怒られているのだろうと思った。とても肩身が狭かった。

しかし、これもまた予想と違っていた。なんと、

「北澤先生を南極へ行かせなきゃダメだろう」

と応援の声が聞こえた。

思わず両親の顔を見ると、母の目は潤んでいるように見えた。

休憩に入ったとき、これから南極に行く教員派遣の先生二人が私へ挨拶に来てくれた。私の発表を聞くために会場に来たとのことだった。

帰り道、母は

「あのとき、会場全体、みんなが佑子の味方をしてくれているようで感動したの」

と話していた。

「絶対に頑張らなくちゃね。」

私は南極行きの夢の実現へ向けて、心がさらに熱くなった。

第二章　三回目の挑戦

例年より早い、募集開始！

道端で見かけるコキアが赤く色づき始め、今年もそろそろ秋が来たなと思い始めた頃だった。国立極地研究所のホームページにアクセスし、

「えっ」

と思わず、声を漏らしてしまうほど驚いた。

教員南極派遣プログラムの募集が、例年より早く始まっていた。昨年までは十二月下旬に募集が開始されていたのに、二カ月以上も早くなった。応募締め切りも早くなっており、年明けすぐの日程だった。

さらに驚きは続いた。今年の募集は一名のみ。例年二名の教員が選考されていたのに、今年は一名のみとの記載に変わっていた。

「ええっ。それって、もっと狭き門になるってことじゃない……。」

そう思いながら、一名だけの募集になった説明を読んだ。

第六一次南極地域観測隊では、全体計画の都合から、昭和基地滞在時間が従来より短期間となる。南極業授の実施回数も限られるため、これまで各年二名派遣してきたところ、今回の募集は

一名とするとのことだった。

「全体計画とは、一体何だろうか。」

そう思って、国立極地研究所や文部科学省などのホームページからいろいろと調べた。すると南極への航海中に世界初の観測が実施される計画があり、例年より海での観測期間が長くなる見込みであることがわかった。

「そういうことなら、全体計画の観測内容も踏まえながら、南極授業の構成をさらに考えてみよう。」

私は調べたことをもとに、昨年度から温めてきた南極授業計画案をブラッシュアップし、熟考を重ねることにした。


　なんとか南極授業計画案を仕上げた私は、健康調書など他の書類も準備し、応募書類一式を校長へ手渡した。

「準備はできたようですね。」

校長はいつものように穏やかな笑顔でありながらも、しっかりとした口調でそう言った。

「はい、よろしくお願いいたします。」

私もしっかりとした口調で伝えた。


　応募の流れとしては、まず南極派遣希望教員が要項に記載されている各書類を作成し、所属する学校（学校長）へ提出する。次に、学校長が推薦状と許可書を添えて、所管の都道府県教育委員会に提出する。県教育委員会は被推薦者をとりまとめ、さらに推薦書を付して国立極地研究所に提出する。応募完了まで結構長い道のりだ。この流れを一つ一つ進んで、ようやく国立極地研究所へ応募することができる。

南極への三回目の挑戦の第一歩。昨年は叶わなかった一歩目。

今年はまず応募書類の提出をきちんと果たすことができた。

帰宅し、そのことを母に電話した。

「まずはよかった。校長先生やお世話になった皆さんに感謝だね。あと、ちょっと佑子に黙っていたことがあるの……。あのね……。」

母は会話の途中で少し間をあけながら話し出した。

「肺にガンが見つかってね、今月に手術をすることになっているの。」

母が何を言っているのか理解できず、頭が真っ白になった。母は経緯を話していたようだが、まったく頭に入ってこなかった。一緒にいてなぜ気づくことができなかったのか、自分を責めた。

「黙っていて、ごめんね。」

そう言った母の言葉が、私の胸に静かに、だが強く奥深くまで響いた。

母の病

母は私に心配をかけないように、教員南極派遣プログラムへ応募する書類の提出ができるまで黙っていたのだった。きっと、体はつらかったのかもしれなかったが、私に気づかれないように、ずっと応援してくれていた。母は、人間ドックの健診の中で、肺腺がんが見つかり、手術を受けることになった。

手術日は冬休みに入る前の終業の日であり、ＨＲ担任として生徒と向き合う大事な日だった。

私は心が苦しいまま、ＨＲの生徒みんなへ母の手術のことを話した。話し終えた途端、

「先生、大丈夫。お母さんの手術に行ってきてね。お大事にしてね。

ちゃんと傍にいてあげてね」

と生徒たちは言ってくれた。私は手術の日、朝から母に付き添うことができた。

南極は一度出発したら、すぐに帰ってこられない場所。最短でも四カ月以上は日本に帰ってこられない。家族や大切な人に何かあっても傍にいることができない場所だ。南極では自然の厳しさと向き合うだけではない、「覚悟」を突きつけられる。

私は心配のあまり、密かに南極行きを諦めようと思い始めていた。

母は五時間以上という厳しい手術に耐えた。

手術後の経過観察を経て、無事に集中治療室から病室に移ることができた。私が会いに行くと、

「これ見てよ！」

とすごく嬉しそうにカレンダーを手渡された。

「えっ、すごいね！　南極地域観測隊のカレンダーだ。これどうしたの？」

私は驚き、感激のあまり思わず大きな声で聞いた。

「そうなの。十一月に出発した第六〇次隊のロゴが入っているのよ。手術に立ち会ってくれた酒

井先生がくださったの。

酒井先生は以前、南極地域観測隊の越冬隊員で、お医者さんとして南極に行った先生だったの。南極に挑戦している佑子のことを話したら、『そうでしたか、頑張ってください。ぜひこれを』と言ってプレゼントしてくださったのよ。」

母はとても嬉しそうに教えてくれた。


しかし、私には満面の笑顔で話す母の言葉一つ一つが、私の思いを諭すような口調に聞こえて、どう答えていいのかわからなくなった。

そのとき、私が南極行きを諦めようとしていることを察したかのように、母は病室のベッドの中から強い眼光を私に向けた。

「南極はあなただけの夢じゃない。家族の夢でもあるんだよ。」

そう、母は言った。

私は、その言葉をかみしめ心が奮い立った。

母の思いを知り、決意を新たに、覚悟を決めた。

面接試験

年が明けて、二〇一九年。生徒たちも冬休みモードから学校生活にすっかり切り替わった頃だった。

私は校長室に呼ばれた。

「今月、面接試験だそうだ。書類選考に通ったみたいだな。」

ビックリしすぎて
「本当ですか？」

と何度も聞き返すほど、信じられなかった。

「面接官の方がこちらへお越しくださり、校長も同席とのことだ。私も北澤先生と一緒に面接試験に参加です。」

一語一語、しっかりとした声に校長の真剣な思いを感じた。

「ありがとうございます。よろしくお願いいたします。」

私は感謝の気持ちでいっぱいになり、丁寧に頭を下げた。

その日の夜、母へ電話した。母は仮退院したところだった。

「頑張れ。校長先生にきちんと感謝の気持ちを忘れず、教師として生徒や学校の授業も大事にやって、面接に臨むんだよ。

まっすぐに思いを伝えてね。きっと面接官の方にも伝わるはずだから。

のぶちゃんも応援しているからね。」

電話の先で母がどんな表情をしているのか、見えなくても私にはわかった。そして、電話口のすぐそばで父も聞いている様子がなんとなく見えた気がした。嬉し涙交じりの声ながらも、しっかりと喝を入れてくるところは相変わらずな母だった。

一月二十五日、面接試験の日を迎えた。私は面接時間に先立って、面接官をお出迎えしようと、校門近くで待っていた。すると、少し遠くの方でリュックを背負って歩いている人影が見えた。

「まさか、そんなわけないいか。最寄り駅からは、三キロくらいはあるし。」

そう思いながら校門に立ち、面接官の到着を待ち続けた。

しばらくして、歩いていた人たちが近くまでやってきた。

「こんにちは。」

一人の女性が私に声をかけてきた。

「こんにちは。」私は返事をした。

「北澤先生ですか。本日は面接、よろしくお願いします。」

「え、あ、よろしくお願いいたします。」

まさか歩いてくると思っていなかった私は驚き、拍子抜けした挨拶をしてしまった。

「こちらです」と、面接官の方々を案内し、校長室のドアをノックした。

いよいよ面接試験が始まった。


冬で空気が乾燥しているせいか、緊張のせいか、ものすごく唇が乾いていた。しゃべりづらさを感じながらも、私は一生懸命に話した。

第六一次隊の観測計画のこと、例年より海での観測が多くなるために昭和基地の滞在が約一カ月間となることなど説明され、他にも南極授業について質問されたと記憶している。緊張しすぎて、内容をほぼ覚えていないのが正直なところだ。

ただ、校長がアマチュア無線の話で面接官と盛り上がっていたのは覚えている。隣に座っていた私は、心の中で「頑張れ、校長先生」と両手に汗を握りながら会話の成り行きを応援していた。

「冬訓練《ふゆくんれん》には参加できますか?」面接官が校長へ尋ねた。校長はいつもの笑顔で面接官に返事をし、冬訓練の参加を承諾してくれた。そして、面接試験は終了した。

　体中から汗が噴き出していて、びっしょりになっていたことを自覚した。すごく緊張していたが、母の言葉を思い出し、応援してくれている妹の顔を思い浮かべながら面接試験を受けることができた。

　そして、面接官の背中を見送りつつ、改めて南極に行った人たちの体力のすごさをまざまざと思い知った。

「南極に行くためには、体も鍛えないとな」と新たな決意を抱いた。


　二月三日、国立極地研究所で実施される南極授業に参加するため立川市に向かった。第六〇次南極地域観測隊同行者として南極に派遣されていた教員による南極授業だ。夏の南極観測シンポジウムでお会いした先生たちだった。

「こちら、南極の昭和基地です。」

中継がつながり、南極授業がスタートした。

　スクリーンに映った先生の目は、ものすごく輝いて見えた。南極の魅力を直接、肌で実感し、生き生きと充実して過ごしていることが伝わってきた。「本当に今、南極から中継しているんだ。」そう思うと、興奮と羨ましい気持ちがわき上がった。

「私も南極に行って、昭和基地から南極授業を生徒たちへ届けたい」と改めて強く思い、選考の通過を祈った。

「どこに行くの？」

ほどなくして、国立極地研究所から冬期総合訓練（通称、冬訓《ふゆくん》）の案内がメールで届いた。ドンッとたくさんの資料が添付されていた。ざっと目を通すと、明後日には提出しなければならない書類もあった。嬉しい気持ちを味わう間もなく、大慌てで取り掛かった。校長と相談しながら急いで提出した後も、次は装備の準備に追われた。

大変だったのはそれだけではなかった。冬訓は平日の五日間、泊まり込みで行われる。南極での生活に向け、長野県の乗鞍岳《のりくら》という雪山で合宿する。平日なので、学校ではもちろん授業がある。その一つ一つ、何十個もの授業を交換してもらわなければならない。毎日、他の先生たちに授業交換をお願いして回った。ありがたいことに、なんとかすべての授業を交換してもらうことができた。

しかし、先生方はなんとも不思議そうな顔をしていた。無理もない、学校を平日一週間も不在にするのだ。

「どこに行くの？　出張？」

そう聞かれても、私には答えられない。協力してもらっているのに、本当のことが言えない。申し訳ない気持ちでつらかったが、これぱかりは話せなかった。

実はこのとき、他言無用、口外禁止が発令されていた。現段階で私は候補者の一人として冬訓に参加する状況である。この時点で観測隊員として発表されているのは隊長と副隊長のみ（隊長兼夏隊長の青木茂氏、副隊長兼越冬隊長の青山雄一氏、副隊長兼夏副隊長の熊谷宏靖氏）。他の隊員たちは文部科学省から正式に南極地域観測隊として決定発表されるまでは、あくまでも「候補」で、その立場にあることなども一切の情報に関して口外タブーとされていた。

私も教員南極派遣プログラムの選考についてどういう状況なのか、まったくわからず不安な気持ちでいた。確かなことは、南極に行くための冬訓に参加できるということ。「おそらく、冬訓での様子で南極に行けるかどうか見極められるのだ。浮かれている場合ではない。選考は続いているのだ」と思い、気を引き締めた。


ちなみに、第五一次南極地域観測隊から教員南極派遣プログラムが始まり、第六〇次隊までの間、派遣候補者の教員が冬訓に参加した前例はなかった。この年から選考日程が改変されたため、冬訓に参加できるようなスケジュールとなったのだ。

つまり、前回までに派遣された教員方が何をどのように準備したのか参考にする情報がなく、私は冬訓に向けて手探り状態だった。

私は雪山での登山経験なんてまったくない、何も知らないド素人。口外タブーのため、周りに相談することもできなかった。私は登山メーカーを調べ、近くの店舗に通い、

「長野県の乗鞍岳というところでは、どのような服装がいいのですか？」

と店員に相談しながら服装や必要なアイテムを買い揃えた。

「この時期は厳冬期で、初めての雪山は危ないと思います。雪山で何かするのですか？」

店員は心配して助言してくれたが、「南極に行くための訓練なんです」とは言えない。

「どうしても行かなくてはいけなくて……。」

言葉を濁しながら会話するしかなかった。

担任をしている生徒たちにも、一週間学校を不在にすることを話し、ただひとこと「頑張ってくる」と伝えた。いつもなら賑やかな生徒たちが、このときはシーンと静かになり、まっすぐ私の顔を見て、話の一つ一つに耳を澄ませて聞いていた。そして、

「わかった。頑張ってきてね。応援している」

と言ってくれた。

この年受け持ったHRの生徒たちは四月に入学してきて、もう約一年間、毎日顔を合わせて接している。まだ南極への挑戦については話していなかったが、生徒たちは何かを察してくれたのかもしれないと思った。私は生徒たちへ「ありがとう」と伝えた。校長をはじめ先生方や生徒たちの協力があって、私は冬訓へと出発することができた。

冬期総合訓練

冬訓は南極へ行くための最初の訓練である。観測隊が南極へ出発する予定は、この年（二〇一九年）の十一月下旬。十カ月以上前から、多くの訓練と研修等を重ねて準備をする。

二〇一九年二月二十五日。後ろにひっくり返りそうなほどパンパンになった大きなリュックを背負い、電車で国立極地研究所へ向かった。周りから見たらヨタヨタした足取りだったと思うが、私の心の内は、

「南極へ行くためには、こんなところでへこたれているようでは、ダメだ」

と言い聞かせ、荷物の重みで体も心も押しつぶされないように闘っていた。あのときの面接官の

ようになりたい、自分を甘やかしちゃいけないと思い、立川駅から三〇分以上かけて歩いた。おかげで真冬だというのに体はポカポカ、汗までかいていた。

受付を済ませ、周囲を見渡した。

「結構、参加者は多くいるんだな。皆さん、どんな方なのだろう。」

そう思いながらバスに乗り込み、雪山に向かった。

しばらくして車内のモニターにプロジェクトXが放映された。第一次南極地域観測隊の軌跡に関する内容で、前後編を続けて観た。車内には静かにすすり泣く声が響いた。私も涙をぬぐった。

「第一次隊から途切れることなく続いている南極観測への思いや情熱。私は、いま、そのバトンを継ぐ候補者として、ここにいる。」

そう思うと、胸が熱くなった。これから始まる冬訓練に向け、さらに奮い立った。

訓練地の宿泊施設に到着し、急いで各自部屋に荷物を運び終えると、一息つく暇もなく、早速、全体研修の講義が始まった。私は、スクリーンに映し出された言葉に息をのんだ。

「南極はいつでも死ねる場所。我々はそこに行く。」

常に危険と隣り合わせ、死と隣り合わせになる世界、それが南極。日本では経験したことがない風速の猛吹雪、ブリザードが吹き荒れる世界。経験が通用しないような想定外のことが当たり前のように起こるという。南極は生半可な気持ちでは決して行けない、行ってはいけない場所なんだと、私は深く自覚した。我々はそこへ行く、南極へ行くための訓練が始まるのだ。私は覚悟を決めた。

南極での歩き方～ルート工作～

いよいよ、雪山で実際に行動する冬訓のメインの実地訓練（フィールドワーク）が始まった。南極での単独行動は危険極まりないことで、命を落としかねない。チームで行動することが絶対だ。冬訓ではあらかじめ、一班あたり五～六人のグループが決められていた。班ごとに集まって、それぞれ自己紹介をした。もちろん、「初めまして」だ。バスの車内では緊張して誰とも話せていなかったので、冬訓参加者の方々との初めての会話だった。

他にもどんな方がいるのか、周囲をぐるっと見渡し、心の中で呟いた。

「ここにいる人たち、みんな一緒に南極に行くかもしれない候補者たちなんだ。」

そう思うと、なんとも不思議な感情に包まれた。

『南極』――。それは、私にとって未知の世界で、非日常の世界のことだった。だが私は今、そこへ行くための訓練に参加している。

南極で行動するためのフィールドワーク訓練はいくつかある。

一つは、ルート工作。氷の大陸である南極に舗装された道路などない。目に見えない遠くの目的地まで安全なルートを考え、正確にたどり着くための訓練だ。南極では安全な場所などどこにもない。危険を回避しながら野外行動するためには、このスキル習得が必須だ。

南極には、移動する際に目印になり得そうな目標物など、何もない。進んでも進んでも見える景色がほぼ変わらないのだ。もし、目をつぶってグルっと回って、目を開けたら、自分はどっちを向いているのかもわからなくなる世界。このルート工作のスキルがないと、あっという間に迷子、つまり遭難してしまいかねないのだ。

ルート工作といっても、日本の一般道のように舗装された道を作るわけではない。自分がいる場所を地図で確認し、そこを出発点として目的地までGPSで緯度と経度を測り、特殊なコンパスを使って進む方向を判断し、歩幅を基に歩数をカウントしながら距離を計算していく。この手順を地道に何度も繰り返してルートを作っていくことをルート工作という。

雪山でのルート工作訓練の前夜、班のみんなで集まって地図を広げ、どんなルートを作ればよいのか話し合った。定規で地図の縮尺から距離を計算し、地図上に鉛筆で線を描く。どのくらいの距離をまっすぐ進んだら、どこで曲がるのか。その曲がる角度や方角はどうするか。話し合いは尽きない。考えなきゃいけないことは山積みだ。

距離を測定するために要となるのが歩幅。歩幅と歩数か

冬訓でのルート工作訓練

ら、距離が計算できる。しかし、簡単なことではなかった。常に同じ歩幅をキープしながら歩き続けることは至難の業だった。畳の上で、何度も練習をして、ずれないように一定の歩幅を保ちながら歩く練習も重ねた。このとき習得した歩幅キープ歩行の技は今でも身についている。

ルート工作訓練、当日。

スキーは結構上手に滑れる方だが、スノーシューを履いて雪山を歩いたことはなかった。初めて履いたスノーシューでは、一歩踏み出すのにも悪戦苦闘し、想像以上に過酷だった。スムーズに歩く達人を見つけ、真似をしながらなんとかついていくだけで必死だった。重厚な装備を身にまとい、隊列を組んで雪山を登っていく。その様子はまるで雪中行軍。

実際に雪山で行動してみると、思った通りにいかないことばかりだった。みんなであんなに入念に予習してきたのに……。予習した内容は変更を余儀なくされた。

豪雪地帯での雪山歩行は前に進むだけで一苦労。そこでの歩幅キープ歩行は、体力的にも予想以上につらかった。しかも、スノーシューを履いて歩行するため、昨夜の練習通りにはまったくいかない。一歩を踏み出して、メジャーで計測しては「なんだか、うまくいかないね。どうしたらいいかな」「スノーシューの端っこをくっつけるとうまくいきそうだよ」など、班のメンバーで打開策を出し合った。試行錯誤を繰り返し、不安定ではあるが、なんとか計測しやすい歩幅をキープしながら雪山を歩けるまでになった。

歩幅変更問題をなんとか解決し、いざ、ルート工作訓練に出発。

雪山を歩き出したが、これまた思うようにうまく進まない。昨夜、地図上でルートの予習をした通り、このまま、まっすぐに進みたい。しかし、実際の雪山には倒木があったり、起伏があったりなど障害物があり、避けて通らなくてはならない事態にあたった。南極ではこの障害物が、氷の裂け目のクレバスなどに相当する。避けて通ると言っても、クレバスに遭遇したら、「よいしょっ」とまたいで渡るわけにはいかない。危険を回避して迂回し、安全なルートを新たに作り出すしかない。冬訓でも同じだ。その場で地図を開き、ＧＰＳなどを使ってルートを作り出す。「まあ、こんなもんでいいかな」などと、いい加減は命取り。一回でも測定ミスをしたら、その誤差が目的地（ゴール）まで大幅にずれを生んでしまう。ルートが合っているのか度々立ち止まり、班の全員で細かくチェックしながら一歩一歩進んだ。

　何時間歩き回っただろうか、なんとかゴールにたどり着き、無線機で本部に通信した。携帯電話が使えない南極では、通信の要は無線機。無線機を使ってスムーズなやり取りができるようになることも身につけなければならないスキルだ。

　ふと、周りを見渡した。

「あれ？　あっちの班は、あんなところでゴールしたと言っている。
あそこがゴール地点？　じゃあ、今、私たちがいるここは？」

どういうことかまったくわからずにいたとき、

「こういうときって大抵、ゴールとか書かれた旗みたいなものが立っていないかな。」

チームメイトが呟いた。そう言われてみたら、「ここがゴールです」と示す標識のような物が見当たらない。不安になっていると、班の一人が「もしかしたら……」と話し始めた。

「地図で示されたゴール地点に正確にたどり着けたかどうかも含めて訓練なのかも？
もし、ゴールの看板があったら、その看板を見つけた瞬間、そこを目掛けて歩いてしまう。

ルート工作訓練のゴール地点で班集合

列になって歩く（ルート工作訓練の帰り道）

そうなったら、南極での行動訓練にならないからじゃないかな。」

「あーっ、そうだ！　なるほど、その通りだ。」

その考えを聞いて、班の全員が納得した。

「今、私たちがゴールだと思って立っているこの場所が、果たして正解なのかも疑わしいのか。」

宿泊施設までの帰り道、チームメイトとルート工作についてふり返りながら歩いた。

ギラギラ照り付けていた太陽はすっかり夕陽に変わり、列になって歩く私たちの影が連なって雪面に伸びていた。気づいた頃には、スノーシューも履き慣れていた。

クレバス脱出 ＆ 救出訓練

ルート工作に続いて、クレバス脱出＆救出訓練が行われた。

危険を予測し、回避しながら、安全な野外行動に徹することは第一優先であるが、常に危険と隣り合わせの南極では何が起こるかわからない。どんなに安全に努めていても、そこら中にあるという氷の裂け目（クレバス）に落ちる可能性がある。もし、落ちたら……。想像するとゾッとする。

万が一、クレバスに落ちたときを想定して行われるのがクレバス脱出＆救出訓練だ。このスキルもルート工作同様、必須である。

クレバスに誤って落ちたとき、どうするか。まずは、自力で這い上がって脱出できるようになることが大事。しっかりとその術を身につけるべく、訓練に臨んだ。

木にロープをくくりつけ、ロープで作った輪に足を引っかけ、グイッと足を踏み込んで自分の体を持ち上げ、自力だけで登っていく。

　頭の中で脱出方法を何度も繰り返した。イメージはバッチリだ。自分の順番が来て、イメージ通りに実践しようと挑んだ。

「うわあ……。」

必死に力を込めて勢いよく足を踏み込んだが、何度やっても、ロープにぶら下がってゆらゆら揺れてしまっているだけで、まったく登れない。

「ロープ一本を使い、自力で這い上がるって、
　こんなにも大変なことなのか……。」

そう思いながら、気持ちは焦るばかり。

「これができなかったら、南極には行けない……。なんとかしなきゃ。」

不安でいっぱいになった。そのとき、

「がんばれー、せーの。」

班のみんなの声が聞こえた。よじ登る私を囲んで、激励とアドバイスが飛び交った。苦戦が続いたが、ようやくコツをつかみ、自力で体を持ち上げることができた。

「もう少しだぞ。南極行くぞー。」

いつの間にか声援が下から聞こえるようになっていた。諦めずに無我夢中でよじ登り、木とロープの結び目である頂点になんとか到達できた。さっきまで順番待ちしているときは寒さに震えて

クレバス脱出訓練

いたのに、汗だくになっていた。

クレバス脱出訓練がクリアできたと思ったら、すかさず次はクレバスに落ちた人を救助する訓練が始まった。落下者と救出者とそれぞれ役割を決め、輪番で全員がどちらの役も訓練する。

まず、落下者は雪山の谷底に行かなければならない。これがまた大変だった。体にロープを回しつけ、雪山の斜面に足をひっかけながら降りていく。深さは五メートルくらいだったろうか、ロープ一本で降りていかねばならず、「このロープが切れたら……」と考えると恐怖だった。

なんとか谷底に到着しても、ちょっとひと息なんてついていられない。カラビナを外して、つながっていたロープを絶壁の上にいる救出者に投げ上げる。そして、救出を待つ間、ずっと寒さに耐え続けなければならなかった。その場で待機のため、動けずに凍えて震えながらじっと待つほかない。

救出を待っている間、私はこの寒さに耐えることも訓練の一つなのだと思った。もし、クレバスに落ちて救出を待つことになったら……、三六〇度、氷に囲まれることになる。体感マイナス何十℃にもなる中、いつ来るかも定かでない救助を待つことになる。だから今ここで、極寒の中でじっと耐え抜く訓練をクリアしておく必要があると思った。

救出者は、数人で手分けして木にロープを巻き付け固定し、ピッケルをしっかり雪山に突き刺して支点を決める。そして、ロープを垂らし、落下者がロープを体に巻き付ける準備が完了したら、引き上げる。

「せーの。」

声をそろえて、みんなで力を合わせてロープを手繰り寄せては、固定する。これを何度も繰り返し、少しずつ落下者を引っ張り上げていく。数人がかりで力を合わせているのに、なかなかスムーズにロープを引っ張ることができない。人力だけで人を引き上げることは想像以上に重く、大変なことだった。落下者の顔が見えた瞬間、歓喜の声があがった。

「もう少しだぞ。あと一メートルくらいだ。」

落下者の様子を見ながら指示をする役の声が響いた。

「救出成功!」

ようやく救出することができた。私はロープを引っ張り上げることに必死になっていたものの、

「もし、固定が外れてしまったら……。結び目がゆるかったら……」

と不安でいっぱいになっていた。

落下者役だったとき、ロープで引っ張り上げて救出されている間、

「みんな……頑張ってくれている。頼む。」

と祈っていた。必死にロープにしがみつきながら、まずはクレバスに落ちないように安全確保を徹底することが何よりもチームのためになることだと実感した。

やっと一息つける昼食の時間になった。班ごとに集まって、各自リュックからお弁当を取り出した。

「えっ……。まぁ、そうなるか……。」

あちらこちらで驚きの声が漏れた。凍っていた。釘が打てるんじゃないかと思うくらい凍っていた。カチコチに凍ったおにぎりを脇の下に入れて、体温で解凍して食べた。水筒のお湯が体に沁みた。

「これも、訓練。南極はなんでも凍ってしまう世界。慣れなくては。」

そう思い、まだまだ続く訓練に向けてエネルギーの摂取に努めた。ふと、横を向くと、何やら丸い金属のようなものが雪に埋まって見えた。近づいてみると、

「カーブミラーのてっぺんのところか、ってことは、ここまで雪で埋もれてしまっているのか。」

座っていても氷の上で冷たい、風が吹いても痛い、おにぎりも凍ってしまう。まるで冷凍庫の中にいるようだ。今日は宿に帰れない。この冷凍庫のような雪山で、一晩を過ごすビバーク訓練が待っている。

南極で生きる覚悟～命、人生を預け合う～

ビバークとは露営《ろえい》とも言って、山中でテントも張れない状況下、緊急避難的に野外で夜を過ごすことをいう。また、ツェルトとは小型簡易テントのことを指すのだが、宿泊用の登山テントとは異なり、緊急時の避難場所的に用いられる簡単な作りになっている。

負傷者の搬送方法などを実践的に学び、いよいよ設営《せつえい》ポイントに到着した。他の班と合同で寝床を作ることになり、まずは雪を掘って掻き出し、寝床となる部分を固めていく。メンバー総がかりでスコップで雪を掻き出していった。ただ闇雲に掻き出すのではなく、ツェルトがぴったり収まるように設計して行った。

雪穴ができたら、周りに壁を作って押し固めていく。こうすることで、雪崩れを防止し、風を防ぐことができるからだ。みんなで汗だくになりながら、人力だけで寝床を作り上げると、次は

班で夕食を食べるためのテント設営に取り掛かった。やっと完成できたら、すぐに水づくりを始める。南極での野外活動でも同様に、鍋を使って雪を解かして水にする。

そして、夕食の準備。この日の夕食はカレーだった。鍋でコトコト煮込む……なんてことは御法度。洗い物がでてしまう。洗う際には水を使う、その水をつくらないといけなくなるし、洗い流した水を捨てることは環境汚染にもつながってしまいかねない。南極では水がとても貴重で、汚水やゴミも極力まで抑えることが必須だ。

いつのまにか太陽が沈み、暗闇に包まれた。私たちは明かりの確保まで考えていなかった。

「どうする？　ランプなんてないしな……。」

「ヘッドライトがある！」思いついた私は声を上げた。

「そうだ、よし、みんなでつけよう。」

みんなで急いでヘッドライトを装着し、明かりをつけた。顔を上げると、お互いがまぶしく、「めっちゃまぶしいね」と思わず笑い合った。

ヘッドライトで手元を照らしながら、レトルトカレーとレトルトご飯を湯煎し、ご飯のパックをそのまま器にして食べた。みんな寒くて震えていたが、湯煎の湯気に両手を近づけ、「あったかいね」と言いながら暖をとっていた。湯煎のお湯で作った温かい飲み物が、雪山で冷え切った体に沁みた。

トイレに行くのも訓練だった。外に光はなく、頼れるのは自分が身につけているヘッドライトのみ。暗闇の中を二百メートルほど歩かなければ、トイレにはたどり着けない。たどり着いたトイレに屋根はない。雪を掘り、どかした雪で作った壁の内側に簡易トイレが置かれている。また、トイレに行くにはシャベルを持参しなくてはならなかった。なぜなら、壁が崩れて簡易トイレが雪で埋もれている場合があるからだ。暗闇の中、ヘッドライトのみでシャベルを使って雪をどけている、そんな自分の姿を一年前に想像できただろうか。

テントに戻る帰り道、ヘッドライトを消してみた。空に向けて顔を上げると、まばゆく光る星が綺麗だった。ものすごい数の星々が見えた。そして、家族の顔が浮かんだ。

「来年の今頃は、南極にいられるように頑張るね。」

輝く星にそう誓い、再びヘッドライトをつけてテントへ歩いた。

食事を終えると、ツェルトに移動し、寝袋を準備した。ツェルトは二人一組で使用する。私は他の班の女性メンバーと一緒になった。二畳もないスペースに寝袋を敷いて眠るため、とにかく狭かった。ダウン等を着て温かくして寝袋に入るよう指示されたのだが、背中からジンジン伝わる雪の冷たさと硬さで落ち着いてなんかいられない。毛糸の帽子をかぶり、手袋までして完全防備で睡眠に挑んだ。

ビバーグ訓練で雪を積み上げて作った寝床

なんとかウトウトし始めた頃、なにやら音が耳に入ってきた。そして、顔に冷たいものが当たって目を覚ました。

「えっ。あれ？　これって、雨？」

実際は雨ではなく、みぞれが降ってきたのだった。ツェルトは緊急避難用の簡易テントで、薄い一枚生地でできていて、完全な防水性はない。降り注いだみぞれはツェルトに浸み込んで、結露もしながら内部に滴り落ちてきた。

「うわぁ、やられましたね。」

一緒にツェルトにいた方が呟いた。

「どうしようもできないですね。耐えるしかないですね。朝まで頑張りましょう。」

そう言ってお互い励まし合い、寒さと滴り落ちる雫に夜通し耐えしのぎ、眠りにつこうと頑張った。


ビバークを乗り越え、宿に帰って入ったお風呂は格別だった。だが、風呂の中で「痛い」と感じ、足の裏を見てみた。大きなマメができていた。雪山では常に気が張った状態だったので、感じていなかったのかもしれない。

「こんなにも冬訓練ってつらいのか……。」

そう思いながら、安心して布団の中で眠れる幸せを感じていた。


なんとか壮絶な四泊五日を乗り越え、バスに乗り込み、帰路についた。

雪山で過ごした訓練は、初めての連続だった。

南極から帰国後、ある講演会で生徒から「一番大変だった、つらかったことは何でしたか？」と質問されたことがある。そのとき、私は深く呼吸しながらいろいろなこと思い返したが、「冬期総合訓練ですね」と答えた。それくらい過酷なものだった。その過酷な訓練を、チームのみんなで協力し、励まし合うことで必死になって乗り越え、やり遂げることができた。

南極にはお店もなければ救急車や消防車もない、安全が保障された場所もない。厳しい自然環境の中で、自分たちだけで観測や生活をしていかなければならない。安全に観測を遂行することが最も大切なことで、無事に日本に帰ってくることが何よりも求められる最優先事項だ。

年齢も価値観も多様なメンバーで構成された南極地域観測隊であるが、その共通目標は、「南極観測を安全に遂行し、ともに生きて日本に帰る」ことに他ならないだろう。

もしもの事態も、隊員だけでなんとかしなくてはならない。そのため、あらゆる事を想定して訓練や準備を徹底的に行っておくことが重要だ。私は、様々な事態を想定した冬訓のフィールドワークを通して、南極は死と隣り合わせであることを学んだ。常に安全行動に徹底することが何より大切であること。そして、救助する側にも、救助される側にも、覚悟が必要なことを身をもって実感した。

仲間とロープでつながっている。もし、このロープが切れたら……それは死を意味するだろう。ロープを通して、つながっている互いの命や人生の重み。互いを信じ合い、命や人生を預け合う、そうしなければ決して生き抜けない。

ようやく電波がつながり、早速、母と校長にメールを送った。

「お疲れさまでした。怪我はないですか？」

二人ともそう返事が来た。応援してくれている温かさを感じ、感謝の気持ちでいっぱいになり、目頭が熱くなった。

「ありがとうございます。」私はそう返事を送った。


この冬訓には南極で観測をする研究者や昭和基地を管理する建築や通信のプロ、学生、新聞記者など様々な方々が参加していた。私の他に学校の先生はいないか探したが、冬訓の全参加者の中で教師は私だけだった。様々な業種の個性豊かな顔触れから、熱い情熱を感じていた。


冬訓での講義のとき、ある女性が私の隣の席に座ってきた。「あれ？　見たことあるかも……。あっ！」と私は心の中で呟いたが、驚きは隠せなかったようで私の表情を見て、その女性はきょとんとしていた。南極関連本を読みまくっていた私にはよく知っている人物だった。

「はじめまして、こんにちは。中山由美さん、ですよね。」

「あ、はい、そうですよ。知ってくれていて、ありがとう。これからよろしくね。」

中山さんは朝日新聞の記者だ。

日本の女性記者で初めて観測隊に同行して越冬した。南極と北極を行く、自称、〝極道の女!?〟だ。

今でこそ、「ゆみねぇ」と親しみを込めて呼べる仲になったが、このときの私にとっては、南極に行った別世界の人だった。

厳格な健康診断

この年（二〇一九年）の四月、新元号「令和」が発表され、新年度を迎えた。一緒に面接を受けてくれた校長は異動し、新しい校長が赴任された。私が校長室へ挨拶に行くと、
「前任の校長から南極のお話は伺っています。南極授業、楽しみにしていますよ。」
校長は笑顔でそう言ってくれた。

そして昨年度、一緒に一学年のＨＲ担任を務めた先生方が大抵そのまま二学年に持ち上がっていた中、私は一学年の副担任となった。何かあったのかと心配してくれる先生方もいたが、事情は言えなかった。新学期が始まり、昨年度のＨＲ担任をしていたクラスの生徒たちも、ビックリした表情をしていた。私の母の病状のことも心配しながら話しかけてくれたりしたのだが、選考の進行状況については口外禁止が続き、正直に伝えることができずつらかった。

この後、観測隊に正式決定されるかどうか、最大のハードルが控えていた。それは、健康診断。ある意味で一番の鬼門と言っても過言ではない。観測隊員経験者の中には、健康の維持が何より大事だと言う人も多くいる。

観測隊にも医療隊員はいるが、医師が二名だけ。もちろん看護師も他の医療スタッフもいない。治療が困難な事態になることもあり得る。南極での医療には限界があり、だからこそ、南極へ行く前に一人一人健康状態を厳しくチェックすることが必要となってくる。

観測隊の候補者は全員、人間ドック以上の細かな検査項目がある身体検査を受診する必要があ

る。そのすべての項目をクリアしなければならない。検査の結果は健康判定委員会にかけられ、健康判定に合格した候補者だけが観測隊として正式決定される。健康判定で不合格となった場合は、南極へは行けない。

私の場合、冬訓が終わり、新年度を迎えた四月に身体検査の案内が届いた。六月までに検査結果を提出しなくてはならなかった。

「こんなに細かい検査項目、一体どこの病院で受けることができるんだろう。それに、今からすべて予約できるんだろうか……。合格できなかったら、どうしよう……。」

私はいろいろな不安を抱えながら、ひとまず母に電話した。

「酒井先生にお願いしてみよう」と、母は通院のときに相談してくれ、私は無事に身体検査を受けられることになった。カレンダーをくれた酒井先生は以前、

「南極ってね、本当にすごいところだよ。世界が開けた。南極に行った仲間との絆は強いものだね」と、まっすぐな眼差しで、とても勢いのある声で私に語ってくれたことがあった。このときも、人の縁のありがたさを痛感していた。検査したいと言ってすぐにできるわけじゃないはずで、実現できたのは当たり前のことではない。理解して応援してくれる人たちがいてくれることに感謝しながら、検査に向かった。

胃カメラや血液検査など、何十項目にも及ぶ身体検査を丸一日かけて詳しく調べてもらった。他にも歯科検査を受診し、病歴や生活習慣などに関して十ページほどの事細かな健康調書を作成した。

検査結果や健康調書等、書類を揃えて郵送した。

「果たして、健康判定の結果はどうなるのだろうか……。」ものすごく不安でいっぱいだった。

夏期総合訓練

六月初め、健康判定の結果がまだ出ない中、夏期総合訓練（通称、夏訓《なつくん》）の実施に関して、たくさんの資料が添付されたメールが届いた。

六月十七日(月)～二十日(木)三泊四日の日程で、再び平日のど真ん中だった。学校を不在にするため、先生方へ授業交換のお願いに歩き回った。今回も先生方の協力をいただき、なんとかすべての授業を交換することができた。不在の前には、毎日毎時間、びっしり詰まったハードスケジュールで連続して授業を行った。そして、夜は夏訓の準備を進めていかねばならず、とても慌ただしく日々が過ぎていった。

またもや連日不在となることに、先生方はなんとも不思議そうな顔をしていた。そしてやはり、この疑問が飛んでくる。

「どこに行くの？　出張？」

そう聞かれても、私には答えられない。実情を知っているのは校長のみ。授業交換など協力してもらっているのに、申し訳ない気持ちだったが、こればかりは話せなかった。「正式発表の日が来たらすべて説明できる。それまでもう少しのはずだ。もう少しの辛抱。」そう思いながら正直に話したい気持ちをグッとこらえた。南極地域観測隊の候補者として訓練に参加していると伝えられないことがつらく、悶々とする日々が続いた。

夏訓では観測の計画等に関して全体で情報共有するとともに、各チームで打ち合わせを行う。それに加えて救命救急処置訓練も実施された。

場所は埼玉県の山中で行われた。宿泊施設の最寄駅に現地集合だったので、電車で向かった。秩父連山をはじめ、快晴なら遠くに上越や日光の山々まで一望できる眺めのいいところだった。

講義が一通り終わると、観測や工事など南極での行動別に打ち合わせが始まる。教員南極派遣プログラムで派遣される教員は、隊員ではなく同行者の立場だ。そのため、あらかじめ決められ

夏期総合訓練での救命講習の様子

／撮影：JARE61 寺村たから　提供：国立極地研究所

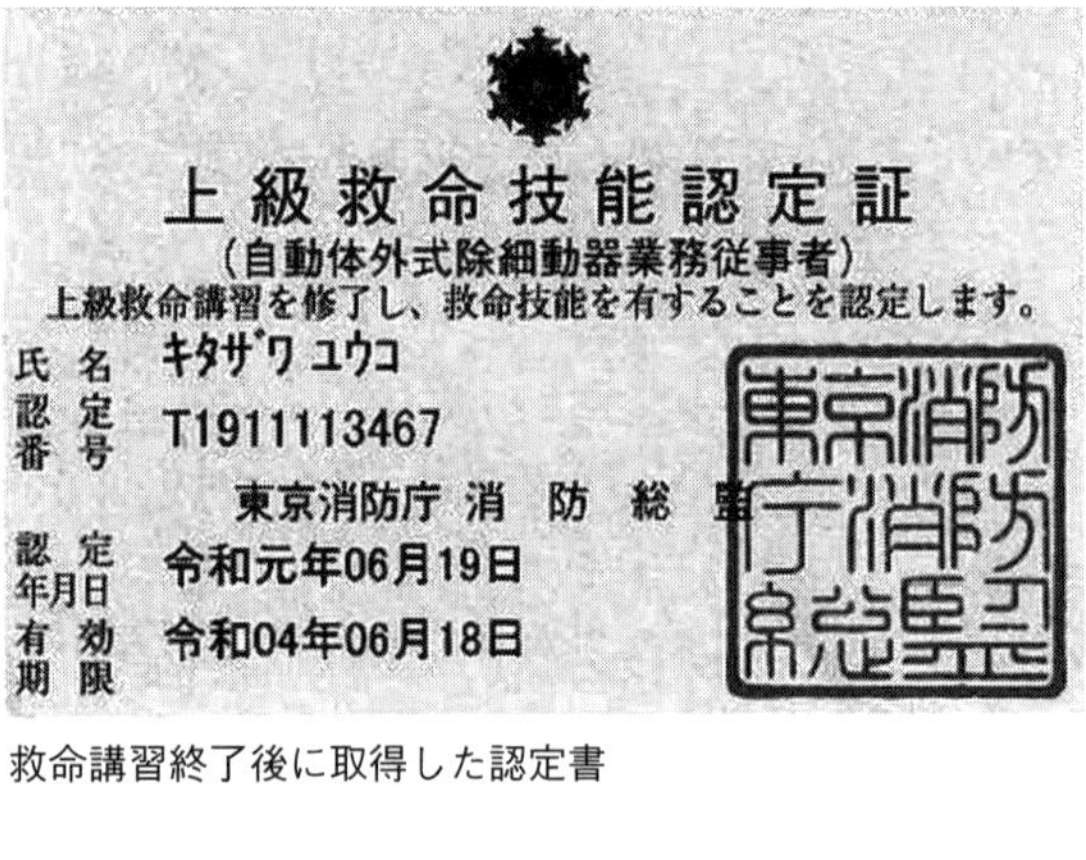

上級救命技能認定証

（自動体外式除細動器業務従事者）

上級救命講習を修了し、救命技能を有することを認定します。

氏名　キタザワ ユウコ

認定番号　T1911113467

東京消防庁 消 防 総 監

認定年月日　令和元年06月19日

有効期限　令和04年06月18日

救命講習終了後に取得した認定書

たチームに所属しているわけではなかった。

「私はいったいどうしたらよいのだろう……。」

例年なら二名募集だから夏訓へは教員二人で参加しているのだろうが、一名募集の今回は私一人だけ。

「こんなとき、今までならきっと教員同士で相談しながら進められたのかもしれないが……。教員は私しかいない……。何をどうしていいのやら……。」

不安でいっぱいだったとき、母の顔が浮かんだ。

もし、今の私の姿を母が見ていたら、きっとこう言うに違いない。

「覚悟や本気は、佑子の行動を見て感じるのです。」

以前、母から伝えられた言葉を思い出し、勇気がわいた。それから、私は吹っ切れたように積極的に行動し始めた。各チームに自分から話しかけに行き、南極での観測や工事などの行動に同行させてもらえるようにお願いした。

私は南極に行くお客さんではない、国家プロジェクトである観測隊の一員になりたいのだ。「南極授業」は教師である私に与えられた任務だが、自分一人だけの力で南極授業を実施することは到底、不可能。隊の皆さんの協力が絶対に必要。だから、自分から動き出して積極的にコミュニケーションを取ることに努めた。

正式発表

果たして観測隊の一員として正式決定されるのか、ずっと不安なままで夏訓を乗り切った。

そして、夏訓が終わった翌日、六月二十一日は待ちに待った日。やっと、この日を迎えることができた。文部科学省の南極地域観測統合推進本部より第六一次南極地域観測隊同行者として正式決定されれば、そのことが発表される予定の日だ。

私は文部科学省のホームページに何度もアクセスし、今か今かと待ちわびていた。

ついに、そのときが来た。

「第六一次南極地域観測隊員等の決定について」の表題を見つけた。

深呼吸し、背筋を伸ばしてパソコン画面に真っすぐに向き合った。右手にマウスを持って、読み飛ばさないように左の指で順に確認しながら、自分の名前の文字を探した。

「あ……った……。本当にある。」

正式に決定された感激の思いと、

「これでやっと、正直に言える。」

安堵感が入り混じった思いが溢れてきた。

私は待ちわびていた正式発表の喜びに浸りたい気持ちを切り換え、急いで校長室へ向かった。

「正式決定おめでとう。あと約半年で南極へ出発ですね。」

校長は、笑顔でそう言ってくれた。これから南極出発まで、南極での活動に関する詳細な打ち合わせや研修が続いていく。『南極授業』に向けての実際の準備が本当に始まった。

後から聞いた話だが、冬訓や夏訓に行っている間、いろいろな噂が職員室で飛び交っていたそうだ。「電波も届かないところなんて、もしかしたら情報を外に一切漏らさないためなのでは？」「きっと、国の今後を左右する秘密のプロジェクトに行っているのかも」などの話題で持ちきりだったという。職場の先生たちは南極行きの実現を知り、「そうだったのね。おめでとう」と拍手を送ってくれた。

この日の夜、南極へ行く夢のきっかけをくれた角替先生に連絡した。

「先生との出会いが南極へ行く夢のきっかけであり、はじまりでした。感謝の気持ちでいっぱいです」

と伝えた。

もちろん実家にも電話した。

「おめでとう。

これからも南極出発まで気を抜かずに、学校のことも頑張らないとね。

感謝を忘れず、しっかりと任務を果たせるようにね。」

私は、母の「おめでとう」の声を聞いて、心の底からほっとした。

そして、母は続いて話した。

「何よりも、怪我や事故に気をつけて、安全第一で過ごすようにね。

もう、あなただけの体じゃないのよ。日本の国家プロジェクトとして南極へ行くのだから。

そのことをしっかりと自覚して行動していかないとね。」

ほっとしたのも束の間。

母からビシッと告げられ、私は、はっとした。どこか浮足立っていた気持ちが、一気に払拭された。

健康判定にも合格できたからと言って、うかうかしていられない。この健康状態をキープし続けなくてはならない。南極へ出発するまではもちろん、南極での活動中もそうだ。日本へ帰国するまでずっと維持し続けなくてはならない。病気だけではない、大きな怪我につながる危険性に対しても細心の注意を払わなければならない。

「そうだね。自分の体であって、自分だけの体じゃないね。ありがとう。」

日本のナショナルチームの一員として、行動に責任を伴う生活が始まったのだということを自覚した。

第61次隊ロゴマーク　／画像提供：国立極地研究所

隊員室開き

　正式発表を受け、七月一日には国立極地研究所の一室に「隊員室」が設けられた。隊員たちは出発までの間、ここで物資の調達や打ち合わせなどを行っていく。そして、これから南極へ行く第六一次隊主催の「隊員室開き」が開催された。「隊員室開き」とは、これからお世話になる方々への顔見せと挨拶の意味を込めて開催される行事である。この日はカレーやもつ煮込みなど、調理隊員を中心に準備した食事を、観測隊員みんなで関係者の方々に振る舞った。私も主催者の一人として参加し、両親を会場に招待した。私は料理の提供に大忙しだった。


　ひと段落し、担当した焼肉の鉄板の油汚れをヘラでこすっていたとき、

「あっ、ここにいた。」

第六一次隊の熊谷副隊長が駆け寄り、いきなり檀上へと案内された。そこには私一人だけしかいなかった。

「あれ？」と思っていると、
熊谷副隊長が合図を送ってきた。何を意味しているのか、わからずにきょとんとしていたが、

「あ！　これは」

私は急に合点がいき、壇上で一人、応援団の型の姿勢をとった。

「押忍！　南極観測にエールを送る。フレー、フレー、南極。フレー、フレー、南極。ソレー。」

大きく腕を振りながらエールの声を送る私に続いて、皆さんが声を出してくれた。

「フレー、フレー、南極」

会場にいた全員が一丸となって声を響かせた。礼をして終えると、拍手がわき、やまなかった。

夏訓の自己紹介で私が応援団の型を披露したことを熊谷副隊長は覚えていてくれたのだった。私が鉄板の掃除に夢中になっている間、第六一次夏隊は壇上に上がり、一人一人自己紹介と挨拶をしていたらしい。副隊長は行方不明の私を探してくれていたのだった。

「南極地域観測隊」という同じ目標に向かう仲間。そのチームが一つになる応援の力が心に強く響いた夜だった。

隊員室開き
／写真はいずれも撮影：JARE61 寺村たから　提供：国立極地研究所

全校集会

口外禁止を告げられてから約半年間。何かあったらダメになってしまうのではないか、ダメになったら国立極地研究所に迷惑をかけてしまうし、応援してくれている皆さんにも申し訳ないと思いながら、その決まりを遵守してきた。

ついに、生徒たちにもやっと本当のことを話せるときがきた。

「そうだったんだ。すごい、おめでとう！

北澤先生は、いつも正直に私たちに向き合ってくれていたから、先生の表情を見て、きっと何かあるんだろうなって思っていたんだよ。

先生は何か、本気で頑張っているんだってクラスのみんながわかってたよ。

私たち、先生が頑張ることを応援したいって思っていたんだ。

北澤先生の南極授業を、私たち、生中継で受けられるんだよね。楽しみ。最高じゃん！」

生徒たちは満面の笑顔で応えてくれた。このとき、私は生徒たちの思いを初めて知った。目頭が熱くなり、こらえきれずに溢れ出る涙をTシャツの袖で押さえた。

「先生、嬉し涙でしょー」

生徒たちの温かい思いに包まれた。

夏休み前に開かれた全校集会で、校長から全校生徒へ私の南極行きが告げられた。

「北澤先生は、第六一次南極地域観測隊の同行者として、南極に行きます。

そして、ここ守谷高校と南極の昭和基地をライブ中継して、みんなのために南極授業をしてくれます。どんな授業が受けられるのか楽しみですね。」

いつもは静かに聞いている校長の話を、このときばかりは生徒たちもびっくりした反応で、体育館がどよめいた。

「北澤先生より挨拶、お願いします。」

校長が誘導してくれ、私は壇上に立ち、全校生徒に向けて挨拶をした。

「ウミウシ先生こと、北澤です。」

私は授業中に大学で海洋生物の研究をしていたことや大好きなウミウシの話をしたことがあった。そのとき、楽しそうに生き生きと話す私の姿が印象的だったようで、生徒たちが親しみを込めてそう呼んでいるのを知っていた。私は改めて生徒たちに教員として全国から一人だけ選ばれたことや、訓練を積んで南極へ行くことなどを伝えた。

「南極に行ったことがないので、どんなところかはよくわかりません。肌で学んできます。そして、ライブ中継で、南極授業をします。

今回、日本全国で南極授業を受けられる学校は唯一、ここ守谷高校だけです。

南極授業を実施する際、生徒の皆さんの協力が必要です。

一緒に南極授業を創っていきましょう。よろしくお願いします。」

生徒たちは頷きながら、終始、顔を上げて真剣に聞いていた。

挨拶を終えると、生徒たちからの拍手が体育館に響き、私の心にも響き渡った。

私は壇上でまっすぐ生徒たちを見つめ、一学年から三学年までゆっくりと生徒たちの顔を見た。

その間も、拍手は鳴りやまなかった。生徒たちの拍手に胸が熱くなった。

スタッフTシャツ

八月三日の土曜日、国立極地研究所で一般公開「極地研探検」が開催された。私はロープワークなどの体験活動を担当することになった。

「サイズはSでいいかな。これを着てくださいね。」

青いTシャツを渡された。

「これは……。」

畳まれたTシャツを広げると、背中のところにホッキョクグマやペンギンのかわいいイラストが白色でプリントされ、加えて「ＳＴＡＦＦ」と文字も印刷されていた。

憧れのTシャツだった。

以前、一般公開に参加者として来たとき、このTシャツを着た観測隊員がどれほどカッコよく見えたことか、今でも鮮明に覚えている。

「ついに、いま。このときが……。私も、このTシャツを着てもいいときが来たんだ。」

そう思うと、興奮が収まらなかった。広げたスタッフTシャツを見つめて、更衣室で一人、にやけていた。

「よしっ」と声に出し、頬をパンパンッと叩いて気合いを入れ、担当場所へ向かった。

私が担当した観測棟は屋外にあり、冷房はなかった。セミが激しく鳴く中、汗だくで極寒の南極を想像しながら説明していると、暑いのか寒いのかわからなくなってくる。周りを見ると、他のスタッフも汗だくで南極の説明をしていて、そのギャップが面白く感じた。

「観測隊の方ですか？」

子どもたちから声をたくさんかけられた。

「はい、第六一次隊で十一月に南極へ出発します」と答えると、

「僕も南極に行ってみたい」「観測隊になるにはどうしたらいいですか」など、質問攻めだった。

教え子たちとの再会

八月五日、茨城大学で高大接続シンポジウムがあり、パネリストとして参加した。シンポジウムのテーマは「主体性」。以前に研修でお世話になった教授から、「北澤先生のような方がまさに主体性、百点満点の事例かと思いまして」と依頼をいただいた。シンポジウム終了後、教授から「南極派遣でいろいろと吸収して生徒に科学の面白さを伝えてくださいね。お気をつけて」と激励をいただいた。

茨城大学でのシンポジウムの翌日は、私の地元である筑西《ちくせい》市の市役所に向かった。市長への表敬訪問だ。市長に直接会うのは初めてで、もちろん市長室に入ることも初めて。報道記者の方もたくさんいて、多くのカメラがこちらに向けられていた。市役所の方が「緊張しないでね」と声をかけてくれたが、「この状況で緊張しない方が無理でしょう」とツッコミたくなった。この日のことは市の広報誌に掲載された。

八月九日、極地研にて教員南極派遣プログラム意見交換会が開催された。プログラムが始まって十年目という節目もあり、初めて開催された行事で、今まで南極に派遣された教員が全国から集結した。

ずらっと勢ぞろいした南極派遣の先輩方を目にし、私も仲間入りできるんだと改めて実感し、ありがたさと嬉しさがこみあげてきた。同時に、「六一次隊での教員派遣は私一人しかいない。今までつないできたプログラムを自分で途切れさせるわけにはいかない」と責任も感じた。

お盆が明けて学校に出勤すると、懐かしい相手から連絡があった。私が初めて卒業生を送り出したときのＨＲの生徒からだった。私に会いに守谷高校まで来てくれるということだった。

「北澤先生、お久しぶりです。」

懐かしい顔ぶれの教え子たちに会え、嬉しい訪問だった。

「南極行きの夢の実現、おめでとうございます。

今でもしっかり覚えていますよ。先生がＨＲで私たちに夢を語ってくれたこと。

あのとき、本当にビックリしたけど、先生の真剣な眼差しから本気なんだなって伝わりました。

今日は、先生の南極への壮行会をしたくて、みんな集まったんです。」

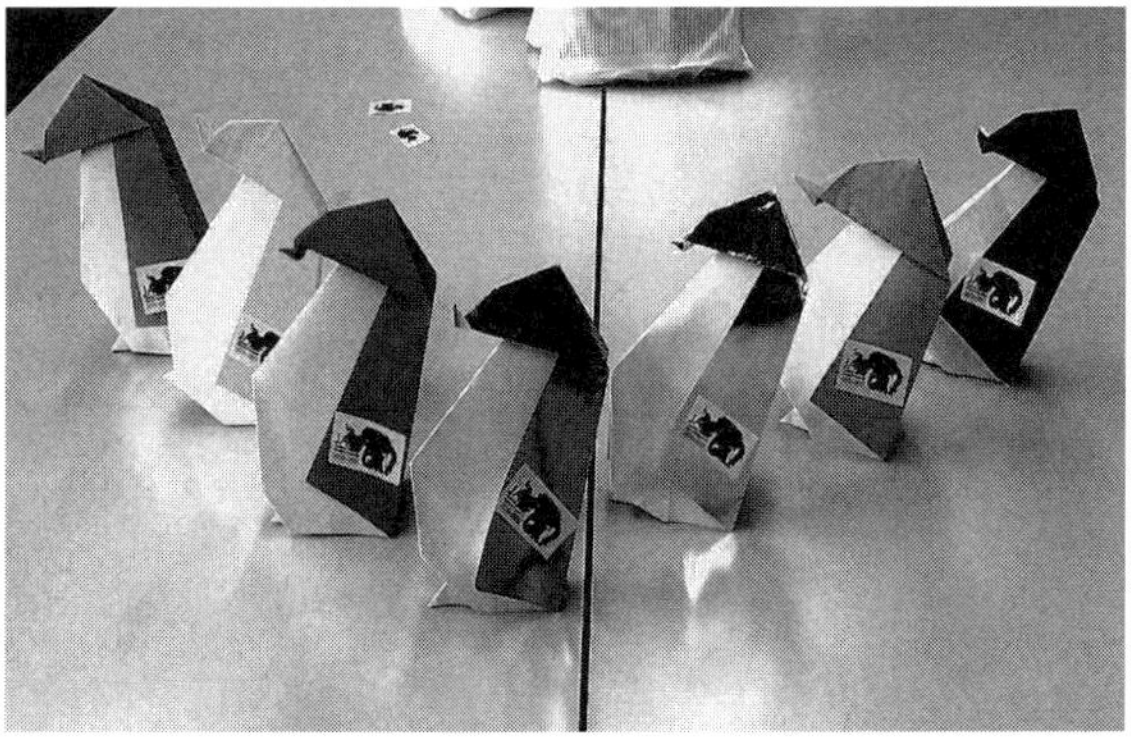

教え子たちと作った折り紙のペンギン

「ありがとう。」

私の夢を見守ってくれていた生徒たちの思いを知り、私は次から次へと涙が止まらなかった。

教え子たちと一緒にペンギンの折り紙を折った。そして、完成した折り紙を手に、記念写真を撮った。このときのペンギンは大切なお守りとして、南極での活動中も胸ポケットにずっと入れていた。

全員打ち合わせ

学校が夏休みの間も訓練や安全講習などの研修が続き、あっという間に新学期が始まった。九月二十六日、極地研で第六一次観測隊の全員打ち合わせが実施された。南極出発も、いよいよ二カ月後に迫り、南極での生活基準や医療体制など南極観測の具体的なことを全体で共有し、共通理解する。

打ち合わせが始まる前に、隊全員から採血が行われた。血液交差といわれ、隊員同士の血液の適合性を調べるためでもある。南極では緊急に輸血が必要になった場合、隊員同士で輸血し合う必要がある。そのため、全員が採血して事前に血液の適合性を調べる血液交差試験を行う。

打ち合わせが始まり、私が発表する順番が来た。南極授業は私一人だけで実施できるものではない。まずは、授業者である私自身が南極授業への思いを伝えなければ始まらないと思い、発表へ臨んだ。隊の皆さんと一緒に南極授業を創り上げていきたいと話し、協力のお願いをした。発表を聞いた隊員は、「発表、とてもわかりやすかったね。協力できることがあったら、何でも言ってね。お互いさま」と声をかけてくれた。

打ち合わせでは、物資輸送の積み込みについての説明も受けた。南極観測船「しらせ」へ積み込む私物を決め、私物の積み込みリストを作成し、十月までに提出する。そして、十一月上旬までに積み込みを完了しなくてはならなかった。打ち合わせの最後には貸与される服や装備品が渡された。

「えっ、もしかして……これも全部、私物として積み込みですか？」

見たこともないくらい大きいボストンバッグを開けると、モコモコな分厚い服装で埋め尽くされていた。

「はい、もちろんです。すべて私物リストに入れてください。」

輸送担当者の答えを聞き、「この荷物を段ボールに入れるとなると、他にはあとどれくらい持っていくことができるのだろう」と不安な気持ちになった。自分の車へ詰め込み、後部座席までパンパンになっている量を見て、頭を抱えた。

船へ積み込める私物の量の目安は、中段ボール五個までと説明を受けていた。船室のロッカー内に安全に収納できるギリギリの量だという。

「それにしても、何をどれくらい持っていったらいいのだろうか……。」

未知の南極暮らしに、あれやこれや想像を膨らましても、まったく見当がつかなかった。

私は、まず南極授業での教材づくりで、絶対に必要なカメラを探し始めた。カメラのことは何もわからないので、秋葉原の電器屋へ向かった。

「どこに行かれて、撮影されるのですか？」そう尋ねる店員さんに、「南極です」と答えると、

「南極？」店員さんは目を丸くしていた。私は何度も通い詰め、店員さんも一緒に悩んでくれた。

私物リストの提出期限もあるため、いつまでも決断を先延ばしにするわけにはいかない。

「撮影機材は南極授業で必須な重要アイテム、妥協はできない。よしっ。」

私は覚悟を決め、ずっと相談に乗ってくれていた店員さんと機材一式を決めて買い揃えた。

次に日用品。約四カ月分の生活用品を準備しなくてはいけない。

「シャンプーにリンス、歯ブラシ……。あっ、爪切りも必要だ。他には……。」

私は独り言を呟きながら部屋を歩き回り、気づいた生活用品をメモした。

「そうだ、量も考えなきゃ。シャンプーの量ってどのくらい必要になるかな。どうしよう……。」

お店もない南極では、なくなったら買い足すことはできないし、決められた段ボールの量を超えて持ち込むこともできない。とはいえ、自分がどのくらいシャンプーを使っているのかなんて考えたこともなかった。私は風呂場に行ってシャンプーが入っているボトルをワンプッシュし、計量スプーンで量を測った。その量をもとに、どのくらいあれば足りるのか四カ月分のおおよその量を算出したりした。

続いて服装。南極で着る服装はどうしたらいいのか……。隊員の中には観測隊として何度も南極へ行ったことがあるベテランがいるので、その方に相談しながら購入した。

一つ一つ考えながら買い揃え、準備を進めていった。

十月下旬、私物として持っていくものすべてを部屋に並べて広げてみた。床が見えなくなるほどびっちりと部屋一面に広がり、ごちゃっとしている様子を見て、愕然とした。

「これ……全部、段ボールに入る？　いや、なんとかして入れるんだ……。」

そう自分に言い聞かせて、私物リストを提出した。

「しらせ」体験航海

空を見上げると澄みきって清々しい、季節は秋を迎えていた。十月二十七日、南極出発まであと約一カ月となった。この日は南極観測船「しらせ」の体験航海に参加した。

体験航海とは、海上自衛隊や南極地域観測隊など関係者向けに開催され、「しらせ」の母港である海上自衛隊の横須賀基地（横須賀港）を出港し、東京の晴海ふ頭まで航海を体験できるイベントである。

イベントには観測隊の家族も参加することができるが、限られた人数しか参加することができず、申し込み時の先着順だった。私は両親を連れて行きたくて、カウントダウンしながら受付時刻を待ち、運よく整理券をゲットすることができた。

体験航海当日は天候にも恵まれ、出港時は自衛官が吹くラッパの音が船内中に鳴り響いた。両親の顔を見ると、「すごいね！」と言いながら満面の笑顔だった。特に父は、とびきり嬉しそうだった。どちらかというと、父は表情から気持ちがわかりにくいタイプだと思うが、この日ばかりは誰が見てもウキウキしていることがわかった。

「しらせ」には観測隊の食堂や風呂、トイレなどもあり、見て回ることができた。また、隊員が寝泊まりする船室は船の後部に位置し、各隊員の部屋割りもすでに決まっていた。母は廊下を歩きながら私の船室を探し、私の名前が書かれたプレートを見つけると、嬉しそうに何度も丁寧になでていた。

船内はどこに何があるかもわかりづらく、階段も多い。今どこにいるのか慣れていないと迷ってしまう。

普段ならショッピングセンターを歩くだけでも、すぐ疲れたと言う父なのに、このときは疲れなんて微塵も感じさせないくらい軽快な足取りだった。

晴海ふ頭に入港した「しらせ」は、のちに大井ふ頭へ移動し、そこから物資の積み込みが始まるのだ。

荷物搬入

十一月に入り、出発まで一カ月を切った。私は相変わらず荷物の梱包に格闘していた。まるで、落ちてくるピースの型に合わせてぴったりとはめていくゲームのようだった。どうやっても段ボールから溢れ出てしまう荷物を、どうしたらうまく収められるのか攻略法を考えていた。

何十通り試しただろうか、やっといい塩梅を見つけ出し、荷物を両手で押し込みながら段ボールのフタをして、体重を乗せてガムテープで閉じることができた。

「やったー。収まってくれた！」

思わず一人で叫んでしまった。しかし安堵したのも束の間、今度はものすごい不安に襲われた。

「大丈夫かな……。忘れ物、ないよね……。」

持ち物リストを作って、チェックしながら確認はしているが、南極で過ごすのに忘れ物があったら、自分だけでなく周りにも迷惑をかけてしまいかねない。

「やるか……。」

深いため息を吐きながら、ガムテープをはがした。

忘れ物があっても、持ってくればよかったと思っても、南極では買い物ができない。電子機器は壊れたときの予備も必要になる。夜な夜な迷い考えを巡らせ、「忘れ物ないかな」と何度も何度も中身を確認しては、チェックした。最終的に覚悟を決め、段ボールを上から押さえつけてなんとかフタを閉めた。そして、「しらせ」に運び入れるため、大井ふ頭に向かった。

大井ふ頭へは自分で車を運転して行くと言ったのだが、大変だからと父が車を出してくれ、母も一緒に来てくれた。大井ふ頭への入門検査は厳しく、観測隊の認証を提示しないと入れない。許可を得て、家族は特別に入門することが許された。

久しぶりに見る「しらせ」はオレンジ色の船体が太陽に反射し、まぶしいくらいにキラキラ輝いていた。

「これから、よろしくお願いします。」

私は「しらせ」に一礼をした。

自衛隊の作業中は荷物の積み込みは禁止されており、休憩時間となるわずかな時間で運び入れなければならなかった。そのため、休憩時間開始とともに積み込みができるようスタンバイした。いよいよその時刻となり、ヘルメットを装着して安全靴を履き、す

ぐさま荷物搬入に取り掛かった。十キロは軽く超える段ボールを抱えて、小走りで移動しながら船室と車を何度も往復した。

明治記念館での壮行会～仲間とともに南極へ～

十一月六日、観測隊は家族を連れて明治記念館に集合した。

建物の中は気品ある絨毯《じゅうたん》で、窓からは庭園が見えた。きっちり綺麗に整えられた芝生、ところどころに秋を感じさせる紅葉が映えていた。無意識にも背筋がピンッと伸びてしまうようなたたずまいで、緊張した。

この日は、観測隊の歴史や活動内容、医療体制などについて観測隊の家族に向けた説明会が開かれた。観測隊として南極へ行くということは隊員本人が自覚していたらOKというものでもない。南極地域観測隊は国際的な日本の国家プロジェクトであること、そして何があってもすぐに帰ってこられない場所に行くということなどを観測隊の家族も理解し、覚悟する必要がある。

家族説明会後には、第六一次南極地域観測隊および「しらせ」乗組員壮行会が執り行われた。会場の前面にはつり看板が設置されたステージがあり、日本の国旗も掲げられていた。

壮行会には、第六一次観測隊、海上自衛隊「しらせ」乗組員、その家族の他に、当時の防衛大臣や文部科学副大臣をはじめ、大臣政務官、国会議員、各国大使館の方など、そうそうたる出席者が並び、激励のお言葉をいただいた。

身も心も引き締まる、ピリッとした空気が漂う厳かな壮行会だった。私は目の前で繰り広げられる光景に圧倒され、南極観測がまさに国際的な国家プロジェクトであることを改めて実感した。

両親は「一生に一度あるかないかだよ。ありがとう」と感動していた。

そんな両親の姿を見て、「いろいろとありがとう」と私の方こそ感謝の気持ちだった。

壮行会ではステージに向かって右側に海上自衛隊、左側に観測隊が整列し、直立してステージの方を向くような姿勢を取っていた。私は観測隊の皆さんの後ろ姿を見ながら、今までの訓練や研修のことを思い出していた。命懸けで南極に行く集団。そう思うと、グッと心が熱くなった。

みんなで必死に乗り越えた冬訓。互いにつながっているライフロープからは、命や人生の重みを痛感した。互いを信じ合って命や人生を預け合う、そうしなければ決して生き抜けない場所へ行く。様々な訓練や研修、打ち合わせを積み重ねてきた。それらすべての経験を通して、私たちは「仲間」になっていった。私はそんなことを考えながら、「仲間」一人ひとりの後ろ姿を見つめていた。

南極へ出発まで、あと二十日あまりとなっていた。

壮行会にてステージに第61次隊集合（著者は最前列の左から２番目）

「しらせ」出港

朝晩はめっきり冷え込み、ビリッと静電気で痛みを感じ始める季節となった。

十一月十二日、私たちの荷物や補給物資など約一千トンを載せた南極観測船「しらせ」は、東京の晴海ふ頭から出港した。

「しらせ」は海上自衛隊が運航しており、砕氷艦「しらせ」とも呼ばれる。出航前には海上自衛隊による出港セレモニーが行われた。海上自衛隊の生演奏があり、「しらせ」乗組員の皆さんが行進して乗艦していった。乗組員の家族の方もたくさん見送りに来ていた。

午前十時半過ぎ、「しらせ」と陸とをつないでいたタラップが外され、船体はゆっくりと岸壁から離れていった。あっという間に遠くなっていく船の甲板からは、こちらに向かって直立姿勢を崩さない乗組員たちの姿があった。

第六一次観測隊員も大勢集まり、「しらせ」や乗組員の皆さんに「またオーストラリアで会いましょう」と大きく手を振って見送った。

「しらせ」出港／撮影：JARE61 寺村たから　提供：国立極地研究所

「しらせ」は、ここからまずオーストラリアのフリーマントル港に向かい、十一月二十八日に私たち観測隊が合流して乗船し、南極の昭和基地をめざして航海へ出る。

感謝と応援を胸に

十月十二日、出身の筑西市立関城中学校で文化祭が開催され、招待を受けた。私は全校生徒と保護者の方へ記念講演を行い、南極への抱負を述べた。

講演後、生徒たちが、

「北澤先輩、いってらっしゃい。南極地域観測隊の皆さん、いってらっしゃい。」

声をそろえて伝えてくれた。地元の後輩たちが壮行会をしてくれるなんて。ものすごく幸せな時間だった。

このとき撮影した動画は、南極へ向かう「しらせ」の中でモニターで放映した。観測隊の皆さんと一緒に観て、子どもたちからの応援メッセージを届けた。

地元の子どもたちの応援を受け、私は勇気がわいてきた。南極で様々なことを肌で学び、『南極授業』などの任務を果たし、無事に帰国する。そして、子どもたちをはじめ地元の皆さんへ報告できるよう、しっかりと頑張らなくてはと奮い立った。

十月十六日、水戸一高同窓会組織である知道会《ちどう》「会員の集い」が開催された。私は三十歳の頃から、微力ながらこの同窓会の活動に携わっている。

南極行きが実現する四年ほど前、総務委員会の先輩たちに「教師として南極に行きたい夢があるんです」と話したときがあった。あっけにとられる反応かと思いきや、予想とはまったく違い、皆さん口をそろえて、「すごーい！　教師が夢を語って挑戦するって素敵じゃない。絶対、行かなきゃ」と本気で応援してくれた。その南極行きの夢が実現し、いよいよ十日後には出発を控えながら、「会員の集い」に運営として参加していた。私は司会の隣に立って会場を見守っていた。

そのとき、「北澤さん、登壇してください」とアナウンスがあり、ステージへと誘導された。

タタタタタッと足音が聞こえてきたと思ったら、応援団ＯＢ・ＯＧたちが勢いよくずらっとステージ前に整列し、

「押忍！　南極行きに、エールを送る。フレー、フレー、きーたーざーわー」

きちっとそろった大きな声を上げて、エールを送ってくれた。

そして、思いが込められた知道会の旗を託していただいた。南極の過酷な環境にも耐えられるような生地で特注したという。私に気づかれないように内緒で企画し、準備されたサプライズの壮行会だった。応援してくれる先輩や後輩の皆さんの思いに感激した。

運転して帰る途中、今日までのことを丁寧に思い出していた。休憩に立ち寄ったパーキングで、車を降りると冷え込んだ空気がとても肌寒かった。私は大きく深呼吸して空を見上げ、背筋を伸ばした。「頑張ります」、まっすぐ前を見つめ、空に向かって再度、宣言した。


十一月の初めには、南極ＯＢ会による壮行会に参加した。観測隊の先輩方のお話から、日本の南極地域観測隊の歴史を学んだ。バトンを受け継ぐことの重みと、南極で生き抜いてきた人たちの心に触れ、情熱が伝わり、私も心が熱くなった。

十月中旬にはつくば市長、十一月には守谷市長を表敬訪問した。また出発の一週間前には筑波大学に、南極への挑戦のきっかけとなった教授へ挨拶に伺った。

多くの皆さんからの応援と感謝の気持ちを胸に、出発の日に臨んだ。

成田空港

「しらせ」の出航から約二週間経った十一月二十七日、私は成田空港からオーストラリアへ出発した。

朝、家を出るとき、玄関の鍵を閉めても、電気を消したかな？　など部屋中を確認する作業を何度も繰り返した。四カ月以上も部屋を空けたことはもちろんなく、いろいろなことが不安で仕方なかった。

南極に行くため不在となることを大家さんに連絡し、ガスや水道の会社などへも連絡した。そういえば、市役所にも行った。なぜ市役所に行ったかというと、南極選挙人の申請手続きをするためだった。あまり知られていないようだが、選挙の際は南極からも投票することができる。しかし、出発前に選挙人名簿の登録がある市区町村の選挙管理委員会へ申請し、「南極選挙人証」を隊長へ提出しておく必要がある。私が南極に行っている間に選挙は行われなかったが、投票はＦＡＸで送信するのだそうだ。

部屋中を確認する作業を何度も繰り返したのち、私は観念して玄関の鍵を閉め、バスと電車を乗り継いで成田空港へ向かった。成田空港内に用意された控室に集合し、人員確認や出国に際しての説明を受けた。その後、おそろいの六一次隊の帽子をかぶり、出発式が執り行われた。隊長から「時代が我々を求めている」と意気込みに溢れた挨拶があった。出発式には観測隊の家族も参加でき、私の両親も買ったばかりの慣れないカメラを手に、懸命に写真におさめてくれた。

実のところ、成田空港に到着してから集合までの間は、てんやわんやだった。

空港で両親と合流できたものの、問題はここからだった。

南極への持ち物で、家に忘れた物があることに気づいた。それは延長コード。電器店へ向かったが、店中を探しても見当たらず、店員さんの手も借りてやっとの思いで手に入れた。

そして、長時間フライトには首枕があった方が良いと聞き、急遽買うことにした。さらに、シャープペンシルの替え芯も買わなくてはと思い立った。ここまでで約二時間半、両親も私と一緒になって、広い空港内を必死で品物を探しに、急ぎ走り回ってくれた。

やっと昼ご飯を食べようと店を探したが、どこも混んでいた。なんとか入店し、注文することができた頃には、観測隊の集合時間が迫っていた。出てきた蕎麦を一口食べたが、もう時間がなかった。

「まったく。佑子はいつも、こうなんだから。

南極へ行くときですら、落ち着いてできないのね。」

そう母が言った。こんなとき、いつもだったら不機嫌そうに言う母の顔が、このときだけは寂しげに見えた。私は両親を店に残し、出発式の会場である控室へ走った。

出発式が終わり、搭乗ゲートへ向かった。そこには日本の国旗を掲げて、観測隊の家族など大勢が見送りに来てくれていた。

「出発間際まで落ち着いてできなくて、ごめんね。今日のことだけじゃなくて、ここまで来るのに、いろんなことがあったけど、今まで、ありがとう。頑張ってくるね。」

私は両親にそう伝え、搭乗ゲートの列に並んで歩いた。ふり返ると、両親が大きく手を振ってくれていた。私も両親が見えなくなるまで、両手を大きく振り続けた。


私が搭乗ゲートを通過したとき、母は胸をなでおろし、「これで私の任務は果たせたかしらね。」そう呟いたそうだ。

日本に帰ってきてから聞いた話だが、当時、国立極地研究所の広報室長だった本吉隊長から母へも任務が伝えられていたそうだ。

「怪我も病気もさせないように、見守ってください。

『南極授業』という任務を担うのは北澤先生、一人しかいない、代わりがいません。特にインフルエンザには罹らないように気をつけてください。」

この話を聞いて、出国前の昼食を思い出した。

私の大好物はお寿司だ。出国前に寿司を食べておきたかったが、母は決して許さなかった。母は私に、一カ月以上前から寿司禁止令を発令し、口うるさく「生ものはダメだ」と言い続けた。

私が観測隊の候補者となってから約十一カ月もの間、母も言い知れぬ緊張感を抱え、告げられた任務を頑張ってくれていたのだった。

出国ゲート／画像提供：国立極地研究所

出国ゲートにて母が撮影した写真

第三章　いざ、南極へ

人生初めての海外旅行

実を言うと、私は今まで日本から一歩も外に出たことがなかった。外国に行ったことがなく、今回の南極行きが初めての海外だ。

私と同じ六一次隊同行者である中山さんに、入国カードの書き方や入国手続きなどを教えてもらい、人生初めての海外の地へ降り立った。

成田空港を出発してオーストラリアのブリスベンでパース行きの便に乗り継ぎ、パース空港からバスで四〇分ほど揺られ、ついにオーストラリア西岸のフリーマントル港に到着。そこで南極観測船「しらせ」に再会した。

予定よりも到着が遅くなってしまい、パース日本人学校の子どもたちが「しらせ」船内の見学を終え、ちょうど下船するところだった。予定していた案内役を務めることはできなくなってしまったが、船内見学を終えた子どもたちは嬉しそうな表情をしていた。一列になって下船する子どもたちとハイタッチをして交流することができた。

子どもたちと入れ替わるようにして観測隊は「しらせ」へ乗船した。隊長を先頭にして一列になり、一人一人「よろしくお願いします」と海上自衛隊の乗組員の方々へ挨拶しながら進んでいった。

すぐに、船内にある観測隊公室に集合し、研修を受けた。観測隊公室とは研修や全体ミーティング、朝昼夜の食事の会場でもあり、観測隊員が毎日使うところである。

研修終了後は、食糧の搬入を全員総出で行った。

「次、重いのいくよー。」

「了解。手を離してOKです。」

お互い声をかけながら、バケツリレー方式で収納庫や各部屋まで運んだ。

南極に運ぶ荷物は原則として日本で「しらせ」に積み込むが、一部の物資はフリーマントルで搭載する。できるだけ新鮮なまま持ち込みたい野菜や牛乳、卵などの食材も積み込んだ。

出港前のわずかな自由時間に、私は観測隊の仲間とともに近くのロットネスト島へ散策に出かけたり、スーパーやマーケットで買い出しをしたりした。街を歩き回り、最後の文明圏を楽しんだ。

マーケットを歩いているとき、現地の方から

「Are you a member of the Japanese Antarctic Research Expedition?」

と話しかけられた。おそらく、私が着ていた第六一次隊のTシャツを見て、そう思ったのだろう。毎年、この時期になると、街のあちこちで南極地域観測隊員である日本人を多く見かけるようになるそうだ。比較的小さな港町であるフリーマントルで、日本人がたくさん歩いている光景は、確かに印象に残るだろう。現地の人にとっては、毎年、この時期の恒例行事のようになっているそうで、「がんばってねっ！」と笑顔で声をかけてくれた。

十二月二日、午前十時過ぎ。フリーマントル出港のときを迎えた。

観測隊員たちは甲板に出て、見送ってくれる人たちへ帽子を振りながら、大きく手も振った。タラップが上げられ、船体が岸壁から少しずつ離れていった。私はその様子をじっと見つめていた。

「ここから、南極まで海を渡って行くんだ。」

日本から遙か南へ、約一万四千キロ離れた地球の果て。地球儀のちょうど底にあたる部分が南極だ。

気づいたら、すっかり沖合に出ていた。そのとき、海に突き出た突端《とったん》で、大きな日本の国旗を力強く振ってくれている人たちを見つけた。私も大きく手を振った。ここまで見送りに来てくれたのだと感激したと同時に、自分が国家行事に関わっていることを改めて意識した。

さっきまで突端に見えていた人影が、あっという間に見えなくなってしまった。甲板から遠くまでグルッと周囲を見渡しても他の船体すら見えず、ただ海に囲まれていた。大海原に出た船の甲板に立ち、私は南極観測船「しらせ」の甲板の手すりをなでながら、

「いざ、南極へ。これからよろしくね」

と伝えた。

ここから南極の昭和基地にたどり着くまで、一カ月以上の船旅が始まった。

フリーマントル港を出港　いざ、南極へ

行動経路（日本⇔南極の道のり）

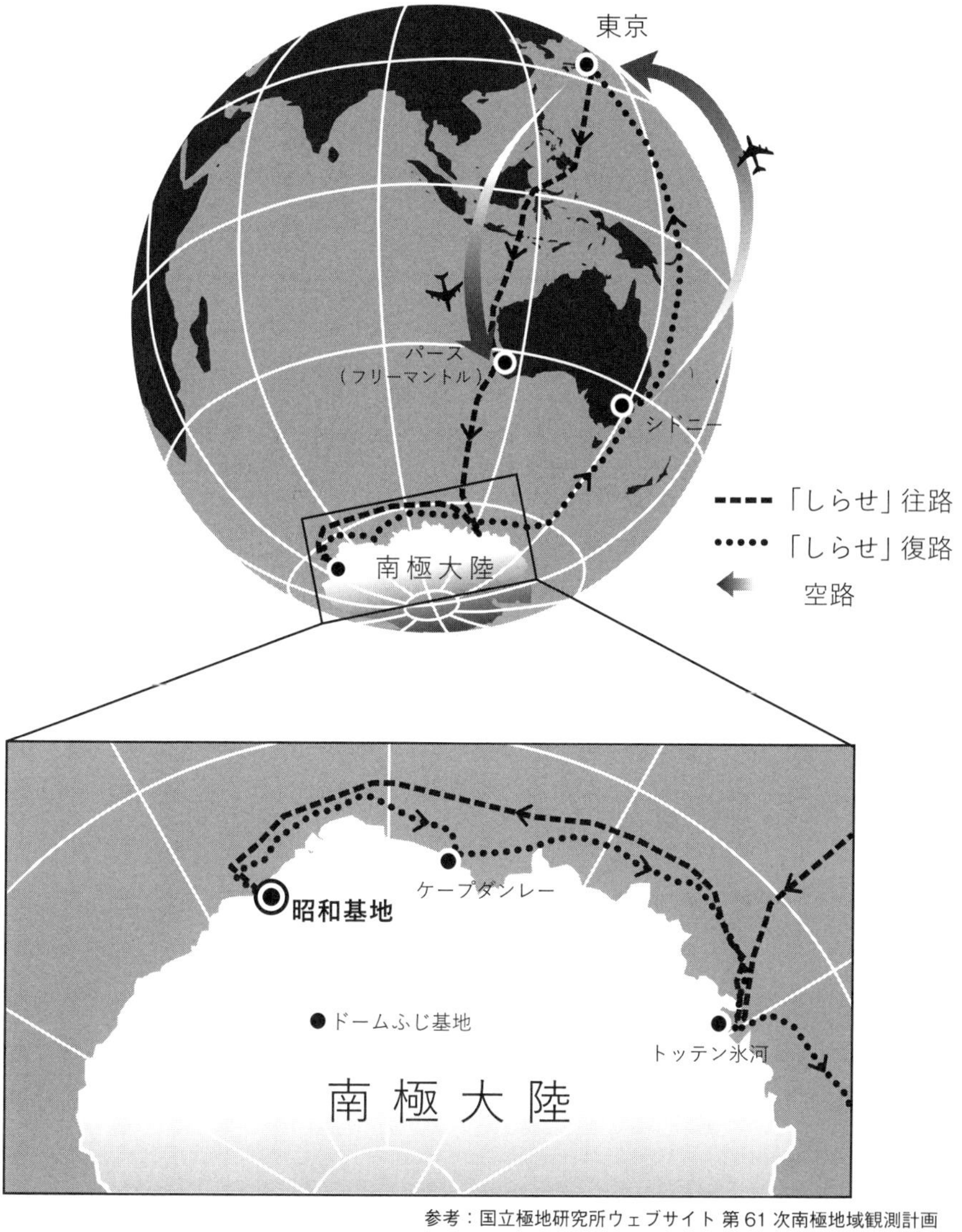

参考：国立極地研究所ウェブサイト 第61次南極地域観測計画

絶叫の南極海域

南極へたどり着くには、荒れ狂う海域を突破しなければならない。通称、「吠える南緯四〇度、狂う五〇度、叫ぶ六〇度」と言われる海域だ。風は強く、うねりは高く、船は木の葉のように揺れる。

実際にその海域に達すると、荷物はシューッと床を滑るようになった。人間は立っているのも大変で、廊下ですれ違うのも一苦労。船体が右に傾けば、人間の体も自ずと右に傾いてしまう。傾こうとする体を必死で起こして耐えながら歩かなければならない。その不器用な様子に、お互い「大変ですね」と声を掛け合って廊下をすれ違う。この海域を通過している間は、これが当たり前の光景となった。

それでも、

「今回は、まだまだ楽な方かもな。これから、揺れがもっとひどくなるかも。」

船の傾きでこぼれそうな味噌汁を見つめながら、ベテラン隊員が呟いた声が聞こえてきた。

「え？」

私は思わず、声が漏れた。

「これで、まだまだ楽なの？　これからもっと……。そうか、帰りも通るのか……。」

波しぶきが飛んでくる荒れる海域

突きつけられた現実にガックリしたが、この揺れも南極ならではのものと考えると、代えがたい経験に思えてくる。ベテラン隊員の予想通り、特に帰りは激しく揺れ、何度も胃が浮く感覚に襲われた。

二四時間、途切れることなく揺れは続く。いつまで続くのかわからない中、揺れに耐えながら、体力は落とさないようにとご飯は頑張って食べた。一週間ほど、揺れは続いた。

波が穏やかになり、廊下でのすれ違いも苦戦しなくなった頃、甲板に出る許可が下りた。私は急いで甲板に出た。他の隊員たちも次々と甲板に出てきて、なまった体を動かし始めた。

船上で運動することを『艦上《かんじょう》体育』といい、船の周りを走ることもできる。ただし、ぶつからないように安全を考慮して、その日の船内放送で時計回りか反時計回りかがアナウンスされる。

甲板で隊員たちと円になり、サッカーボールでパス練習もした。揺れる船の上では、相手へまっすぐパスすることもなかなか難しい。ボールを蹴ってパスをするというより、「危ない！」と声を掛け合いながら転がるボールを必死で追いかけて走り回る運動がメインだった。

耳や頬に当たる風が冷たい。南極に近づいているのだろう。しかし、遮るものがない日差しは、日本より強くまぶしく感じた。

私はほぼ毎日、南極の海を一望できる艦橋《かんきょう》（船を操縦、指揮するところ）に通い詰め、南極を感じられる喜びをかみしめていた。そこから見える、刻々と変わる海の景色がお気に入りだった。荒れ狂う海の波しぶきも感じられたし、南極に近づいていくと海はどうなるのだろうと、すべての変化を見逃したくなかった。

艦橋には観測隊員も入ることができるが、規律のため帽子は必須だ。艦橋には操縦に関する機材がたくさんあり、海上自衛隊の乗組員の方が風速計の見方や現在の位置、運航状況などを丁寧に教えてくれる。南緯五五度を越える頃になると、他の隊員たちも艦橋にちらほらと顔を出し始めた。

「きっと、もうすぐだ。」

ベテラン隊員が呟いた。

「何がもうすぐなんですか?」私がそう尋ねると、

「それは、これからのお楽しみ。毎日、欠かさず艦橋に通っている北澤先生なら会えるはず」

と、とてもウキウキした様子だった。知ってしまうのはなんだかもったいないと思い、私もそれ以上聞くのをやめ、これから出会えるであろう楽しみを待ち望んだ。

初氷山

十二月七日。朝ご飯を食べ終えた私は、いつものルーティンで艦橋に行き、海を眺めていた。そのときだった。水平線近くの遥かかなたにキラッと光る物体を見つけた。

「氷山かも。」

艦橋で一緒に海を眺めていた観測隊の一人が言った。

「えっ」

私は心が高鳴った。そのキラっと光る物体は海に揺られて「しらせ」に近づいてくる。今か今かと、海をジーッと見つめながら待った。

だんだんと物体の様子が見えてきた。

「白い。」

「これ、間違いない。氷山だ。」

初氷山

艦橋にいた観測隊員たちが窓に張り付いて、みんなで同じ方向を見つめていた。

どのくらい海を見つめていただろうか、こちらに近づいてくる氷山の様子を見逃したくなくて、片時も離れず、窓に張り付いていた。

氷山がいよいよ船に近づいてきた。窓越しではなく、直接氷山を見たくなり、私は急いで甲板へ飛び出した。

「すごい……。私、本当に南極に来たんだ。」

グッと心の底からこみ上げてくる感動で心が震えていた。私は生まれて初めて氷山を見た。

氷山は想像していたよりも遥かに大きく、圧倒的に壮大だった。私は息をするのも忘れ、海に浮かぶ雄大な姿をじっと見つめていた。

「氷山ってこんなにも大きくて、美しいんだ。」

氷の表面が太陽の光を反射し、まぶしいくらいにキラキラ輝いていた。透き通るような淡く青い氷。海の波が氷山に当たり、鮮やかな水色の波しぶきをあげている。

南極から流れてきた氷山を通り抜けた風が私の頬に当たる。冷凍庫を開けたときのような冷たい風を浴びた。私は思わず、空気を深く吸い込んだ。

「南極の空気だ。」

直接肌で感じ取れる一つ一つのリアルに、氷の大地である南極に来たことを実感した。

「母にも、父にも、妹にも見せたい」

私は感動に溢れる気持ちをメールに詰め込み送信した。


夕食時、観測隊公室でご飯を食べていると、「北澤先生、おとなりいいかな?」と声をかけてもらった。艦橋で話しかけてくれたあのベテラン隊員で、夕食を一緒に食べることになった。

「お楽しみは見られたかな?」

「はい、初氷山のことだったんですね。南極に来たって実感しました。」

「そうか、よかった。これからが本番。もっと南極を感じる瞬間がいっぱい待っているよ。」

ベテラン隊員の言葉を受け、私は改めて気を引き締め、気合を入れた。年明けの来月に予定されている『南極授業』への思いが膨らんだ。

ラミング航行～がんばれ！　砕氷艦「しらせ」～

初めて見た氷山の高さは約七〇メートル、幅は約五〇〇メートルと推定された。初氷山を見たのは、南緯五五度を越えたところだった。

南極地域観測では南緯五五度より南を南極地域と定義しており、南緯五五度を通過（南下）すると、いよいよ極地での活動が始まるということになる。ちょうどその緯度を越えた頃から、気温も一気に下がった。凍りつく冷たい強風が顔に当たり、厚着をしていないと外にいられないようになった。

「しらせ」の上部見張所（通称、鳩小屋《はとごや》）という艦内で一番高い所にも、海上自衛隊の乗組員の方が連れていってくれた。そこからは三六〇度、海が見渡せる。

海氷《かいひょう》域に入ったとアナウンスが流れたとき、私は鳩小屋に上り、海を見渡した。

「白い、海が白い。」

海の色は青から白に一変していた。海の表面が凍ってできた海氷があちこちに漂い、氷山もたくさん浮かんでいた。見渡す限り、白い海が一面に広がっていた。

「氷の海。この先、大丈夫かな。」

私は流氷も漂う中、氷を割りながら進む「しらせ」の船首をじっと見つめていた。

南極に近づくにつれ、海の氷がどんどん厚くなり、海氷や積もった雪が複雑に折り重なる乱《らん》氷帯《ぴょうたい》に突入した。流氷が風や潮の流れでぶつかり合い、乱雑に積み上がっている危険なエリアである。海は分厚い氷にびっしりと覆われ、液体の海の姿を垣間見ることができないほどになった。

遠くの流氷の上に黒い物体のような姿が見えた。何やら動いているようにも見え、「なんだろう」と気になり、じっと見つめ続けた。「しらせ」は氷を割りながら、その流氷にだんだん近づいていった。私は目を凝らした。

「ペンギンだ！　ペンギンがいる！」

初めてペンギンに出会えた嬉しさに感極まり、歓声を上げた。

私の大声が響き渡ったのか、甲板にいた隊員たちが集まってきた。

「本当だ！　ペンギンだ！　アデリーペンギンかな？」

ペンギンを指差しながら、隊員たちも興奮していた。

みんなでペンギンの観察会＆撮影会が始まった。

「おーーい。ペンギンさーーん、こんにちは！」

私はペンギンに大きく手を振り、こちらを向いてくれないかなと願いながら呼びかけた。

ペンギンは、

「ん？　呼んだ？」

と言っているかのような表情で、こちらに一瞬顔を向けたかと思うと、すぐにプイっと首を曲げてしまったが、それもまたなんとも愛らしく思えた。

南極の生きもののシンボルであり、アイドル的な存在のペンギン。流氷の上に立つその姿は愛らしくも思えたが、南極という過酷な環境で生きるたくましさも感じた。

「しらせ」のすぐ近くにやって来たアデリーペンギンたち

氷の中を進んできた「しらせ」だが、ついに、そのときがやってきた。

厚い氷に閉じ込められ、進めなくなってしまった。

その様子を艦橋から見ていた私は、

「どうするのだろう。全然、前に進めていない。」

そう不安に思いながら、操縦席に集まる海上自衛隊の皆さんを目で追った。「しらせ」の行く手を見届けようと、私は操縦の邪魔にならないよう静かにひっそりと見守っていた。

そして、ここから、真の「しらせ」の姿を目の当たりにすることとなった。

いつ前に進むことができるのだろうと思っていたら、

「あれ？　バックしてる？」

私は心の中で呟いた。船は前に進むのではなく、後ろにバックし始めた。そして、いったん停止し、今度は勢いよく前進し始めた。

「ここのままでは「しらせ」が氷にぶつかってしまう……。」

そう思った瞬間、船体を氷にぶつけ、そのまま氷に乗り上げた。

凄まじい音や振動が鳴り響き、「しらせ」は一歩前に進んだ。

「すごい。こんなに厚い氷も、砕いて進んでいく。」

私は砕氷艦「しらせ」が本領を発揮した姿を肌で感じた。

砕氷艦「しらせ」。

それは、南極観測船「しらせ」につけられたもう一つの呼び名だ。

「しらせ」は文部科学省が管轄し、防衛省海上自衛隊が運用している。文部科学省では南極観測船と呼び、防衛省では砕氷艦と呼んでいる。砕氷という文字通り、氷に阻まれた海の中を「しらせ」は氷を砕いて突き進む。

海に浮かぶ氷の厚さが一・五メートルくらいまでなら、「しらせ」は強力な推進力で連続的に砕氷して前進することができるが、氷がそれ以上の厚さになるとラミング航行しながら、少しずつ厚い氷の海を進んでいく。

ラミング航行とは、いったん二〇〇～三〇〇メートルほどバックさせ、最大馬力で全速前進し、氷に体当たりしながら氷に乗り上げ、船の重さで氷を砕いて進む航行のことをいう。一回のラミングで進めるのはせいぜい一〇～五〇メートル。ラミングの回数は氷の状況によって違うが、往復で何百回、何千回とひたすらにこれを繰り返すこともある。

船体が氷にぶつかり、砕氷するときは、凄まじいごう音や大きな振動が船内に響き渡る。耳を手でふさいだって意味はないくらいだ。雷が落ちたかのような音が絶え間なく鳴り続ける。

艦橋にいた私は「しらせ」が頑張る姿を間近で見たいと思い、船首甲板に向かった。船首から少し身を乗り出し、海面を見るため船首から下を覗いた。すると、船から海面に向けて、ものすごい勢いで水が流れ出ていた。氷の上に水を撒いているようだった。

「しらせ」は船首に設けられた穴から散水する装置を搭載している。海水をくみ上げ、海氷上に散水し、氷を融かしながら進むこともできるのだ。

分厚い氷に挑む「しらせ」の船首から私は思わず大声で、「がんばれー、いけー」と叫んでいた。

何度も何度も挑む「しらせ」の姿に自然と涙が溢れてきた。

ラミング航行中の様子（後進しているところ）

氷海（オングル海峡）を進む「しらせ」（ヘリコプターから撮影）

「諦めなければ、行動し続ければ、きっといつか目的地にたどり着くはず。」

そう勇気をもらった気がした。私自身、支えてくれる家族や応援してくれている多くの人たちがいて、諦めなかったからこそ、今ここにいる。

強風で削れた氷が顔に当たって痛い。帽子からはみ出ている髪の毛はいつの間にか凍っていたが、私の心は熱くなった。相変わらず氷に阻まれる「しらせ」はラミング航行を繰り返し続けていた。

「しらせ」での生活

航海中、景色は刻一刻めまぐるしく変わっていく。ずっと眺めていてもまったく飽きることはなかった。ほぼ毎日、南極の海を一望できる艦橋に通い、南極を感じられる喜びをかみしめていた。カメラにおさまりきらないほど大きい氷山や、海氷に映る南極観測船「しらせ」の影。そして、南極の生きものたち。

ある日、ラミング航行を船首から見守っていると、なんとなく横から視線を感じた。私一人だけだったはずなのにと思いながら、恐る恐る視線を感じる方へ首を向けた。

「はっ。」

目が合った。アザラシだった。一頭のアザラシが氷の上でゆったりとしていた。手を伸ばしたら届きそうなくらい、「しらせ」のすぐそばにいた。大きな船に驚くことも、逃げる様子もまったくなく、ゆったりと構えて、こちらにじっと顔を向けていた。

「怖くないのかな？　船や人間を初めて見たのかな？」

私は思わず、アザラシにそう問いかけた。もちろん返事はなかったが、こちらの様子をじっと見つめていた。私もアザラシを見つめ返した。

「南極の世界へ、ようこそ。航海、気をつけてね。」

アザラシの表情はそう言ってくれているようにも感じ、ラミングしながら分厚い氷に挑む「しらせ」を見守ってくれているようにも思えた。「しらせ」が砕いた氷の割れ目から海の中へ、勢いよく飛び込んでいくペンギンたちの姿も目にした。

南極の世界を肌で感じ、目の前に広がる南極の自然に常に感動した。非日常が日常になっていく不思議な感覚だった。

「総員起こし！」

朝、午前六時に放送される号令から船上の一日は始まる。

海上自衛隊が運航する「しらせ」では自衛隊のルールに沿った生活や行動が基本となる。「しらせ」に乗船する海上自衛隊乗組員は約百八十人、観測隊は約七十人。往復で約三カ月、船上生活を送る。

オーストラリアを出港してからすぐに訓練を受けた。それは、救命胴衣装着に関する講習や溺者救助の訓練、人員確認の訓練など。船で大海原に出る心構えを持つことができた。

長い船上生活では髪も伸びてくる。出発前に日本で散髪の

氷上のアザラシ

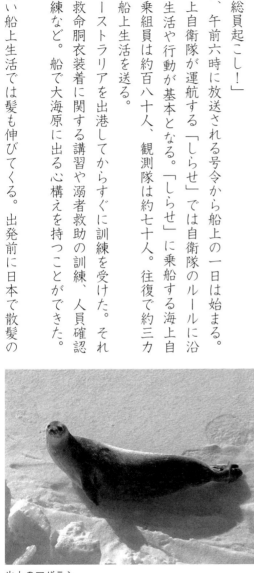

研修を積んできた電気整備専門の隊員と医師の医療隊員が美容係となっていた。

「北澤先生、よかったら髪をお切りしましょうか。」

美容係の医療隊員が船内で声をかけてくれた。私は南極への準備に忙しく、美容院に行く時間が取れないまま、出国することになってしまった。乾かすのにも時間がかかり、「髪、切っておきたかったな」と後悔していた。そんな私の呟きを聞いて、提案してくれたのだった。船の揺れが収まっている隙に、伸びた髪を切ってくれた。南極へ向かう船内、男性隊員の間では、バリカンで剃って坊主頭にすることが流行った。


真水はとても貴重で、トイレはバルブをひねって海水を流す仕組みになっていた。ときに、お風呂も海水風呂となる。湯舟のお湯を試しに舐めてみたら、やはりしょっぱかった。指にできたささくれに塩分がしみて痛かったが、そんな海水風呂にもいいところはある。保温効果が抜群で、湯上り後も体がポカポカのままでいられた。

洗濯機も使えるが、注意が必要だ。船の揺れ具合によって、洗濯中でもすぐに止まってしまうのだ。船が大きく揺れるたびに洗濯機が止まるので、体で感じる揺れ具合から「きっと、いま止まったな」と、洗濯機のスイッチを入れ直しに行く。部屋と洗濯機を何度も往復して大変だった。洗濯物は、船室の中に工夫して張り巡らせた紐にかけて干した。ちなみに、洗濯物は、あっと言う間にすぐ乾く。それほど船内は乾燥しているのだ。静電気もあちこちでバチバチして痛い思いをした。日本でも私は静電気がよく起きる方で、いつもの習慣で何気なく持参したマグネット付きの静電気除去シートだったが、南極に持って行ってよかったと思うアイテムのランキング上位に入る一品となった。

朝昼夜の食事は、観測隊公室で食べる。食事開始を知らせるアナウンスが流れると、ぞろぞろと隊員が集まってくる。入室時に、名札をひっくり返すことが決まっている。これは食事が済んでいるという合図でもあるが、生存と人員の確認でもある。壁に掲示されている献立表を見るのが、隊員共通の楽しみで、「おっ、明日は麺だ。やったね、頑張れる」と話題のタネになったり、やる気をアップさせてくれたりした。海上自衛隊の乗組員が作ってくれる料理はとてもおいしく、メニューは様々で、同じ献立が続くことはほぼないが、毎週金曜の昼はカレーと決まっていた。いわゆる海軍カレーで、「しらせ」特製カレー。隊員の中で一番人気の料理で、私も毎週金曜のカレーが楽しみになっていた。

日本から持参してきたマイ調味料をカレーに足して、アレンジして食べる隊員もいた。お手製の辛味噌を持ってきていた隊員がいて、私も分けていただいて楽しんだ。

また、昭和基地到着後の活動に向けて、多くの研修や訓練、講義が連日実施され、準備が進められた。安全講習ではヘリコプターの搭乗および脱出や、観測隊公室にロープを張り巡らせて実践的な訓練などを積んだ。南極で吹雪の中を移動するときに万が一、ライフロープから手が離れても体が離れないように、カラビナを使ってたどり着けるよう指導を受けた。

医師である医療隊員から医療研修も実施された。南極ではもちろん救急車はない。七十人ほどの六一次隊本隊で医療隊員は二人だけ。その他に看護師など医療の専門家はいない。観測隊員は夏期総合訓練にて上級救命講習を修了し、その認定証を取得している。特に野外調査では、医療隊員が同行できるとは限らない。今いる仲間で、今ある用具等で処置対応しなければならないのだ。野外調査で携帯する医療器具の使い方や、万が一に何かあったときの応急処置の方法など、重要な研修をみっちり受けた。

南極に着いてからの野外調査では泊りがけのこともあるため、糧食《りょうしょく》配布（食材の配布）も重要な準備の一つだ。冷凍した肉や魚、レトルト食品に調味料、飲み物など三五〇品目以上を倉庫からすべて搬出し、グループごとに人数や宿泊数などを見ながら数量を分けて配布する。観測隊公室が食料で満杯になるほどの量で、隊員総出で取り組み、丸一日かかった。なぜ、こんなにもたくさんの量が必要なのかというと、それは、南極での野外調査中、急に悪天候になった場合に備える必要があるからなのだと教えてもらった。悪天候でヘリコプターが飛べず、一泊だったはずが、三泊、四泊となり、予定通りに帰ってこられないこともある。だから、野外調査のときは食料も含めた装備品を多めに準備して持っていき、備えておくことが必須となる。

毎日、夕方の決まった時刻には、人員確認も兼ねた「定刻ミーティング」があり、報告や連絡事項が伝えられ、隊全体で情報を共有する。ミーティングでは観測など何か仲間の成功が報告されると、全員の拍手が起こる。喜びや願いを皆で共有しようという思いの表れだ。

過去に観測隊員の経験がある隊員が、「そういや、ミーティングのときの拍手って、今までの隊ではなかったね。六一次隊ならではかも。笑顔にもなるし、みんなで拍手するっていいね」と話していた。

船室の相方

多くの時間を過ごすことになる船室、観測隊員の船室は二人部屋だ。往復約三カ月以上の船旅で、毎日をともに過ごした私の船室の相方は、火星に関する研究をしている野口里奈隊員だった。野口さんは当時、宇宙航空研究開発機構（ＪＡＸＡ）の研究開発員で、南極から帰国後は自ら志願し、小惑星探査機「はやぶさ２」のプロジェクトチームとして、小惑星リュウグウの試料が入ったカプセルの探索や回収の任務をオーストラリアの現地ウーメラで遂行した。現在は新潟大学自然科学系の助教を務め、惑星火山研究室で研究を進めている。

「しらせ」船上ではテレビはもちろん、インターネットもつながらない。日本では Wi-Fi に当たり前のように接続できるが、大海原の中を進む船にはもちろん Wi-Fi の電波はとんでいない。そんな中、船内を歩いて甲板から南極の景色や自然を眺めたり、運動をしたり、ひたすらおしゃべりをしたりなど、一緒に多くの時間を過ごしてきた。

そして、何よりも印象的だったのが火星の魅力を熱っぽく語る姿だった。キラキラした眼光で、研究の夢を話してくれた。私もワクワクと夢中になり、質疑応答の時間は飽きなかった。ふと、授業後に話しかけてくれた生徒の言葉を思い出した。

「先生って本当に生物が好きなんだね。楽しそうに話す先生を見ていると、なんだか私もワクワクして、生物をもっと知りたくなるんだよね。」

そのときの生徒と今の私は、きっと同じ気持ちなのだろう。そう思うと、大いに熱く語り、ワクワクする南極授業を生徒に届けたいと、いっそう楽しみになってきた。

そういえば、お互いの母から送られたメールの文面も少し面白かった。

「こんなメールが届いたよ。」

「えっ、うちも同じ。」

何気なく、母からのメールを野口さんに話したことがきっかけで、二人で笑い合ったときがあった。

私の母からのメールには「野口さんとは仲良くしていますか?」と書かれていて、野口さんのお母さんからのメールには「北澤さんとは仲良くしていますか?」と書かれていた。もちろん、お互いの母にメールの内容を知らせてはいないし、母同士で打ち合わせしているわけでもないが、同じことを心配していたのだった。

「大丈夫、仲良くしているよ。」

二人で同じ返事を母へ送った。


往復で約三カ月以上の船旅をふり返ると、様々な場面が思い出されるが、いつも相方の存在があった。共有してきた一つ一つが大切で、どれもかけがえのない時間だった。

夢を語り合い、実現するためにどうしたらいいのかを考えて具体的に行動し、ともに頑張っていこうと互いが刺激し合い、高め合える存在となっていった。

今もこの絆は続いている。

世界初の観測

航海中、「しらせ」船上では様々な海洋観測が行われ、海上自衛隊と観測隊が協力しながら進めていった。

　オーストラリアのフリーマントル港を出港してから二日後、南南西に進んでいた「しらせ」は真南に針路を変え、東経一一〇度ラインをまっすぐ南に進んだ。船尾側にある観測甲板で、海洋観測の一つである海洋生態系モニタリングという観測が始まるからだ。この観測では毎年同じ地点で海水やプランクトンの採取を行い、海の生態系の調査を続けている。六一次隊でも観測地点を移動しながら、往路と復路とそれぞれ五日連続で観測を実施した。私もこの観測に参加し、実

「しらせ」船上にてプランクトン採取

「しらせ」船上にて海水採取
／撮影：JARE61 寺村たから　提供：国立極地研究所

「しらせ」船上にて海氷採取
／撮影：JARE61 寺村たから　提供：国立極地研究所

際に調査を行った。

　まずは、海水の塩分や水温を連続的に測定できる機器に海水を採水できる機材が付いた観測機器を水深四五〇メートルまで沈めてから、引き上げる。特定の水圧を検知するとボトルの蓋が閉じるような仕組みになっていて、六段階設定できる。あらかじめ設定された深さの海水をそれぞれ四リットル採取することができる。

　続いて、プランクトンを採取するため、ノルパックネットという円錐を逆さにしたような形態をしているプランクトンネットを海に投下する。水深一五〇メートルまで沈め、引き上げる。海上自衛隊の乗組員たちがノルパックネットの投下や引き上げをしている間に、私たちは採取した海水が入っている採水器から慎重に調査ごとに小分けする。これがまた大変だった。海水はすでに海面が凍るほどの冷たさで、気温も低い中での作業は手がかじかむ。繊細な作業を手早く行わなければならず、分厚いグローブなんてはめていられない。冷たさに痛んで震える指先をこらえながら、他の隊員と協力して作業を進めた。海水の小分けが終わったら一息つく暇もなく、ノルパックネットが引き上げられる。

　すぐに採取したプランクトンを透明のボトルに詰めて保存する。一時間半ほど作業を続け、指先の感覚もなくなり体も冷え切ってしまったが、南極海のプランクトンなどの生きものに出会えたときは、嬉しさで寒さも忘れる瞬間だった。揺れる船の中で、この後も分析など調査は続いた。

　また、六一次隊では復旧したマルチビーム測深機（音の反射を使って海底の地形を調査する機器）を使っての海底地形の調査も六年ぶりに実施された。海底の地図を作るための調査だ。安全航行のために必要不可欠なだけでなく、観測の分析など研究においても非常に重要なデータとなる。

他にも、海氷の厚さなど海氷状態の目視《もくし》観測や海氷の採取、測定器を取り付けた気球を上空に放つ大気観測など、「しらせ」船上で行われる様々な観測に参加した。

そして、六一次隊での観測の目玉はトッテン氷河沖での世界初の集中観測だ。往路で約二週間、復路で約三週間、これまで観測が困難とされていた海域で、世界で初めて集中的な観測を行う計画である。

南極を東側と西側に分けて、それぞれ東南極、西南極と呼ぶ。南緯六六・五度、東経一一六度付近にトッテン氷河の末端があり、東南極に位置している。日本の昭和基地も東南極にある。トッテン氷河は東南極において最大級の氷河であり、ここの氷がすべて融けると、海面が約四メートル上昇すると予測されている。氷が融けるメカニズムの早期の解明が求められているが、トッテン氷河沖は氷が厚いなど過酷な環境から、現地で調査することは難しいとされてきた場所だった。

私たち六一次隊は、世界屈指の砕氷性能を有する「しらせ」で、この困難と言われてきたトッテン氷河沖での集中観測に世界で初めて挑むことになっていた。トッテン氷河沖での観測のことを、隊員たちは「トッテン祭り」と呼び、世界初の挑戦に向けて士気を高めていた。

すべてが順調に進んだわけではなかった。南極の海は分厚い氷が敷き詰められた状態になっている。予想以上に氷が厚くてなかなか前に進めなかったり、嵐に見舞われて氷のない海域に戻ったり、強風で甲板に出られずにじっと待機したり……。人間の思う通りに自然を操ることなんてできない。自然の偉大さを改めて感じた経験となった。

ようやく、トッテン氷河沖に到着してみて、まず驚いたことがあった。

「いま見えているのは、南極大陸の先端ということですか？」私が質問すると、

「いや、氷山ですよ」と教えてくれた。

「え？　これが、氷山？」

見回して探しても、氷の端が見つからず、全貌がまったくわからない、大陸と思えるほど巨大な氷塊が氷山として漂っている。恐怖すら覚えた。

ここは確かに、東南極で最も氷の減少が進んでいる場所なのだと実感した。

「この氷が全部、融けてしまったら……。」

予測された数字は知っていたが、何よりも、目の前を流れゆく巨大な氷山が、理屈なしに事態の深刻さを物語っていた。


研究者たちは氷の下に流れ込む海水の影響が原因で氷が融けているのではないかと考えていて、その解明の糸口を探ることが今回の目的だ。そのために、トッテン氷河沖での集中的な現地調査が重要な鍵になると期待されていた。


私が体験した観測の一つに「ＸＣＴＤ」センサーを使った観測があった。ＸＣＴＤとは、eXpendable Conductivity, Temperature and Depth の略。円筒形の発射装置（ランチャー）にセットし、海に投下する。

「しらせ」船上から投下したり、船で行くことができないような場所ではヘリコプターで上空

から投下した。何十本も投下し、トッテン氷河沖のあらゆる場所で観測を行った。

XCTDは海に沈み込みながら水深や水温、塩分を連続的に測定し、船上にデータが送られる。観測機器から送られてくるデータはモニターに映し出され、リアルタイムで確認することができた。

ヘリコプターにて上空から投下するセンサーを抱えて

私が投下したXCTDからも、測定データが送られてきた。途切れることなく連続的に更新されていくデータを、私は隊員たちと一緒に、まばたきも忘れるほどじっと見つめ、見守った。次々に送られてくるデータを見ていると、センサーが海深く沈んでいっている様子が画面から伝わってくる。

水深がどんどん深くなっていくが、データは順調に送られていた。すると、海の深いところで水温を示すデータが変化した。

「え？　プラスになってる！」

マイナスを示していた水温が、0℃を超えてプラスを示したのだ。

「あったかい、ってこと？」

ビックリした私は、謎の答えほしさに近くにいた隊員に目を向けたが、彼らは呼吸をするのも忘れ、鋭い眼光をモニターに注いでいた。

「やはり、暖かい海水の存在を確認できましたね。」

「実測値が物語っていますね。」

「この暖かい海水がどこから、どのように、どのくらい流れ込んでくるのか、分析せねば。」

研究者たちの意見や意気込みが飛び交っていた。

持ち帰った観測データ分析の結果、トッテン氷河沖には巨大な渦があり、その渦によって暖かい海水が棚氷《たなごおり》（氷河や氷床が海に押し出され、海に突き出た部分）の下に流れ込み、氷が融けるのを加速させているということが明らかになってきた。

南極の氷と海水のつながり、地球温暖化との関係を探る世界初の重要な調査となった。


トッテン氷河沖では海底の採泥《さいでい》観測も実施された。この観測も世界初だ。泥状になっている海底の堆積物を採取し、それに含まれる化石の種類などから、過去数千年〜数万年の海洋環境を探ろうという採泥観測だ。その他にも海氷採取など様々な観測が行われた。


観測の様子を見ていたとき、隊員たちが船の一角で団子状になってざわざわと騒がしくしているのに気づいた。みんなの視線は一方向に注がれていた。何だろうと気になって、私も群がりに加わった。

「うわあー！」

船の間近で二羽のコウテイペンギンが氷の上を歩いていた。腹ばいのポーズをとると、スーッと氷を滑ってこちらの方へもっと近づいてきた。

「近いよー！　すぐそこにいる、逃げないんだね。」ペンギンはむくっと起き上がった。

「大きい。そして、すごくきれい。」

私はその姿に見とれていた。首のあたりは黄色い光沢で、胸から腹は真っ白でツヤツヤに光っていて、シュッとしたくちばしに凛とした表情。その立ち姿は大きく、先日見たアデリーペンギンの倍の大きさはあるように思えた。気品や貫禄を感じるたたずまいは、まさに皇帝の名の通りだと思った。

二羽のコウテイペンギンは物怖じする様子もなく、どっしりと構えて採泥器が引き上げられる様子を、ときどき首をかしげながら見ていた。まるで偵察に来ているようだった。一通り見届けると、満足したのか、二羽は静かに氷の割れ目から海の中へと潜っていった。

特にトッテン氷河沖ではペンギンやアザラシなどの生きものの姿を多く見かけることができ、生物が専門の私にとって大興奮のひとときだった。

世界でも例を見ない観測はまだ他にもある。氷の下の海洋生態系を観測するため、全長一五〇メートルにも及ぶ漂流系という観測機器の投入が行われた。投入には一時間以上もかかった。海氷が融ける春から夏の時期に植物プランクトンが大増殖することが知られており、そのメカニズムや海洋環境の変化などを調べる

観測を見つめるコウテイペンギン

ことが目的だ。

観測機器にはＧＰＳも付いており、プランクトンを採取したり、海水温や塩分を測定したりなど、南極海を長期間、漂わせたまま観測する。長期観測することで、より詳しく正確に調べることにつながる。この長期間というところが世界初の試みだった。

厚い氷がひしめき合う南極海で、長期間損傷なく漂流させ、回収までするこことは非常に困難であり、過去にも挑戦したが、破損などで観測の遂行はかなわなかった。そのため、海氷の圧力や衝撃に耐えられるように改良し、再び挑んだのだった。そして今回は、約二カ月間という世界でも例を見ない長期間、すべて破損もなく、データも正常に取得でき、成功をおさめることができた。


本当に「世界初」が目白押しの観測だった。

今まで誰もやったことのないことに、挑む。どうしたらいいか悩んだときの解決策もゼロから考えなくてはならない。

でも、一人じゃない。仲間がいて、みんなで考え、協働することができたからこそ、乗り越えられ、世界初の観測に成功できた。最前線の現場で仲間とともに挑戦するパワーの成果。間近に見届けてきた私には、そう感じた。

私も世界初の観測に挑んだチームの一人として、いろいろな瞬間に立ち会うことができた。観測研究の最前線で海上自衛隊や観測隊の皆さんとともに、リアルタイムで実測値を見つめながら、様々な感情を分かち合っている。そう思うと、今ここにいられることに、本当にありがたい気持ちでいっぱいになった。

参考：国立極地研究所パンフレット「南極観測」

南極に日本の基地は4つある。日本の南極観測の中心である昭和基地までは、日本から約 14,000㎞。

氷の大陸である南極大陸。その氷の厚さは一番分厚いところで約 4,900m もあり、富士山もすっぽり収まってしまうほど。広さは日本のほぼ 37 倍。過去に記録した最低気温はマイナス 89.2℃という寒さ。

第四章　ついに到着

初めての一歩

苛烈《かれつ》な暴風圏をやっと突破したかと思えば、厚い氷で覆われた海の中を何百回ものラミング航行を繰り返し、南極観測船「しらせ」は地道に一歩ずつ進み続けた。

そして厳しい航海の末、ついに「しらせ」は、南極大陸につながる定着氷《ていちゃくひょう》に到達した。定着氷とは流氷と異なり、南極大陸の海岸にくっついている氷で、厚さは一メートルから数メートルになることもある。オーストラリアのフリーマントルを出港してから、すでに約一カ月が経っていた。


「しらせ」は昭和基地から二〇キロメートルほど離れた場所でいったん停泊し、ここからは自衛隊のヘリコプターに乗り込み、基地をめざす。

私は隊員たちと「しらせ」を飛び立った。小さくなっていく「しらせ」を見ていると、ここにたどり着くまでの航海が思い出され、しみじみとした気持ちになった。

ヘリコプターの上空からは、白い氷と青い空の世界が広がっていた。

「南極は、本当に氷の大陸だ。」

目の前に映る景色に、そう実感した。

しばらく経つと、岩が露出している部分が見えてきた。そして、飛行して十分ほどが経ったとき、赤や青の建物が小さく点々と目に入ってきた。

「いま、見えている建物。あそこが昭和基地ですか？」

「そうだよ。」

「ここが昭和基地。」

一緒に同乗していた隊員が教えてくれた。建物はだんだんと大きく、くっきり見え始めた。

上空から見える光景をヘリコプターの窓にへばりつき、存分に見渡した。


昭和基地の周囲は氷しかなく、氷の他には何もない。氷に閉ざされた世界だった。その中に、そこにだけ、ポツンと昭和基地があった。想像していた以上に、昭和基地は孤独に見えた。そこ以外、人間が生活している雰囲気なんてまったく感じられない場所だった。

「本当に、こんなところで人間が一年以上も生活しているのだろうか。」

そんなふうにさえ思ったときだった。

昭和基地にあるヘリポートに、前年の十二月から昭和基地で観測を続けてきた六〇次越冬隊員たちが「ようこそ」の旗を掲げて待っているのが見えた。

どの隊員も肌は黒光りしていた。衣服には一年間の汗と苦労が染みついていた。

「なんてカッコいいんだ！」私はそう思った。

昭和基地を守り、生き抜いてきた越冬隊員たち。心のたくましさがにじみ出ていた。そういう場所に自分が降り立てることに、感激と感動と感謝を一気に感じた瞬間だった。

二〇一九年十二月三十一日。元号が令和になってから最初の大晦日のこの日、私はついに昭和基地へ足を踏み入れた。

昭和基地。

日本から約一万四千キロメートル、日本の南極観測の始まりの場所。日本の南極観測の中心であり、生活の拠点でもある。

一九五七年一月二十九日、第一次南極地域観測隊により開設された昭和基地は、南緯六九度、東経三九度に位置し、日本との時差はマイナス六時間ある。南極大陸から約四キロメートル離れたオングル島という島にあり、目の前には一年中凍っているオングル海峡が広がり、海峡を挟んで南極大陸を一望することができる。秒速五〇メートルほどの最大瞬間風速の強風が一年間を通して吹き荒れ、特に暴風・猛吹雪の際はブリザードとなる。猛烈な風が吹き、激しい降雪や地吹雪のため、視界が悪くなり、ときには一メートル先すら見えなくなることがある。昭和基地では年間五〇日以上もブリザードが発生する。年平均気温は約マイナス一〇℃、最低気温はマイナス四五・三℃を記録している。

日本は昭和基地の他に、みずほ基地、あすか基地、ドームふじ基地と南極に四カ所の基地がある。

みずほ基地とあすか基地は現在、閉鎖中だが、富士山よりも標高が高いところ（標高三八一〇メートル）にあるドームふじ基地は観測地として活躍している。昭和基地から約千キロメートル離れ、南極大陸の内陸に位置するドームふじ基地は、年平均気温はマイナス五〇℃以下。最低気温はマイナス七九・七℃を記録しており、信じられない寒さだ。しかも、四月末から八月中旬まで太陽の出ない時期が続く。

日本は南極で、オーロラや大気、雪や氷、地面の動きや隕石、生物などの観測を六十五年以上続けている。

開設当初は四棟の建物からスタートした昭和基地だが、現在ではおよそ六十棟の建物が建築され、様々な観測機器を備えている。南極で観測や生活を続けるために、昭和基地には様々な分野の専門家たちがいる。

観測隊は、観測を行う研究者や技術者などの観測部門と観測や生活を維持する設営部門から構成され、夏の時期には最大百名程度、冬の時期には三十名程度が昭和基地に滞在し、観測の他に、基地の維持や管理を続けている。

一九五六年十一月八日、第一次南極地域観測隊は初代南極観測船「宗谷《そうや》」に乗船し、南極に向けて出港した。以来、国の事業として実施され、文部科学大臣を本部長とする南極地域観測統合推進本部の下、多くの省庁や機関がそれぞれの役割を担っている。

また、日本の南極観測のルーツは、今から百年以上前の一九一二（明治四十五）年に、白瀬矗《しらせのぶ》隊長ひきいる南極探検隊で行われた科学的調査の探検までさかのぼる。

半世紀以上の歴史を有する昭和基地へ、私は最初の一歩を踏み込んだ。

高鳴る鼓動を自覚しながら、私は昭和基地にあるヘリポートへ到着した。

そして、一列に並んで出迎えてくれた六〇次越冬隊員たちと握手を交わした。

「久しぶり」「待ってたよ」と涙を流しながら熱い抱擁を交わす隊員の姿もあった。

昭和基地には、訪れた誰もが記念撮影をするスポットがある。

一九次隊が基地内に設けた『一九《いちきゅー》広場』だ。

日本の国旗が描かれ、「昭和基地」と黒字で書かれた看板の前に立ち、

「ついに来た、ここが南極の昭和基地。」

そう心の中で熱く思った。

そして、

「行かせてくれてありがとう。がんばるぞ！」

応援してくれた人たちや家族の顔が浮かんだ。

昭和基地 19 広場にて（右：青木隊長、左：著者）

昭和基地主要部の模式図

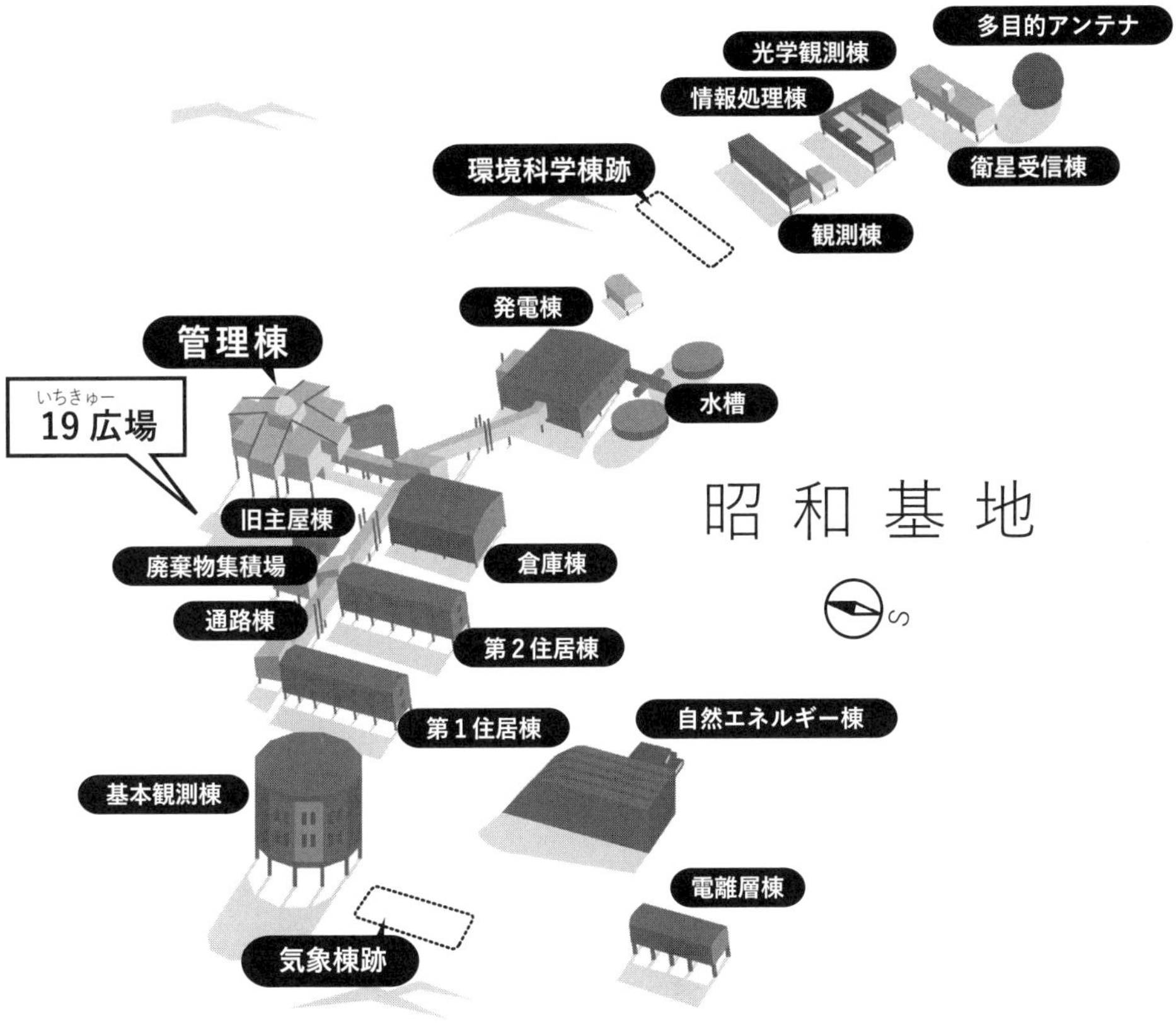

参考：国立極地研究所パンフレット「南極もっと知り隊」

昭和基地での日々

昭和基地入りした初日は、六〇次越冬隊員から基地での生活について説明を受け、案内してもらいながら基地内を歩いた。

その後、海氷安全講習を受けた。潮の満ち引きによってできる海氷の割れ目（タイドクラック）をゾンデ棒と呼ばれる金属の棒を使い、確認しながら海氷を安全に渡る方法を学んだ。海氷は一見すると厚い氷の板のように見え、どこを歩いても大丈夫そうに思えた。だが、ゾンデ棒を海氷に突き刺してみると……、パックリ割れた裂け目が現れる。積もった雪が割れ目を隠してしまい、雪をどかすように棒で刺して確かめてみないとわからないことが多かった。裂け目の中を覗き込むと液体の海が見えた。私は思わず、尻込みした。

「そうだった。ここは海の上だった。海の上を歩いているんだ。」

凍って雪面になっているだけで、気を緩めたら海面に落ちてしまうことを自覚した。南極では、外を歩くだけでも命懸けなのだと心に刻んだ。

この日は日帰りで、説明や講習を終えるとヘリコプターで「しらせ」に戻り、船内で元日を迎えた。

元日の翌日、二〇二〇年一月二日。昭和基地での滞在が始まった。

昭和基地は夏を迎え、太陽が一日中沈まない白夜《びゃくや》が続く。空は常に明るく、時計を見ないと昼なのか夜なのか区別がつかず、心身のリズムを整えるのが大変だった。

毎朝、午前六時に起床して、七時に朝食。朝食を済ませると、宿舎の前に集合し、隊員全員でラジオ体操をして朝礼が行われる。その後、各自仕事をし、午後七時頃に夕食。全体ミーティングを行い、午後十一時頃に消灯という流れ。

食事は一日五食ある。朝昼夜の他に、パンなど中間食《ちゅうかんしょく》と呼ばれる食事が二回ある。寒い中での活動はエネルギーを多く消費する。体力を維持するためにも高カロリーな食事は大切で必要なエネルギー源なのだ。

メニューは様々だが、「しらせ」での船上生活と同様に、金曜の昼はカレーと決まっていた。また、九が付く日は肉の日で、晩ご飯にはステーキなどの肉料理が並んだ。

海上自衛隊の給養員の方々（毎日の食事を調理する専門の職種）や観測隊調理隊員である南極料理人が作ってくれる食事はとてもおいしく、献立表をチェックするのが楽しみだった。

南極の食事では、生野菜はすごく貴重だ。船上でもオーストラリアを出港してからしばらくはトマトやレタスも食べられたが、一カ月も過ぎると生野菜と言えばキャベツ。トマトは見なくなった。「しらせ」では乗組員の方々が工夫してくださり、三カ月を過ぎた頃でもキャベツが食べられるときがあった。「キャベツがあるぞ！」と隊員たちはみんな大喜び。千切りキャベツのシャキシャキした食感を味わえることは幸せだったが、新鮮なキュウリやトマトが無性に食べたくなることもあった。

食事のときに各隊員たちこだわりの持参アイテムを垣間見るのも心楽しかった。柚子胡椒や甘口醤油など、慣れ親しんだご当地の味である。観測隊員の出身は北海道から九州まで日本全国に及ぶ。各自がご当地の味を持ち寄って、互いの郷土の味を食べたりして、ご当地グルメを楽しむこともできた。

南極で生活している中で、なぜか、私の味覚にも少し変化があった。異様に辛味が欲しくなり、料理に七味をふりかけることがマイブームになっていた。日本ではそんな習慣はなかったのだが、好んで味噌汁の中に七味を入れて食べるようになった。日本に帰ったら味覚はもとに戻ったが、なぜか南極滞在中、私の中では激辛ブームが巻き起こっていた。

南極生活の中では、賞味期限についてはあまり気にしなくなってくる。昭和基地への食糧補給は年に一度だけで、追加補給はない。そのため、賞味期限が切れてしまうことも多かった。

毎週金曜はカレー

9が付く日は肉の日

ある日の中間食

隊員たちは賞味期限切れのものには「越冬」を付けて呼んでいる。例えば、賞味期限切れのチョコレートは、越冬チョコと呼ぶ。過酷な環境の南極で一年を過ごしてきたんだと考えると、私は越冬品が尊いものに思えてきて、ありがたく味わった。

一日がかりでの野外調査では、昼ご飯を食べに昭和基地には戻れない。そんなときは、お弁当を作って持たせてくれた。天気がいい日に海氷上で、みんなで食べるお弁当……一見すると平和な昼下がりの光景にも見えそうだが、実はそんなことはない。日陰が一切ないので、太陽はギラギラと照り付けるが、気温はマイナスの世界。急いで食べないと凍ってしまうのだ。

「凍る前に食べないと。あ、これも訓練の成果を発揮する場面かも。」

冬訓練のことを思い出した。

夜通し行われた物資輸送のときは、南極料理人である隊員が夜食として中華料理や夜鳴きラーメンを作ってくれたこともあった。冷え切った体に温かいスープもそうだが、隊員の心遣いの温かさが沁みた。

隊員たちは皆、食べ残しをしないように気をつけていた。食品ロスをなくすことが重要で、南極ではいつ何時も環境への配慮が求められる。昭和基地での活動は南極条約により、厳しく制限されている。南極の環境を守るために、隊員一人一人がエコを心掛け、ＳＤＧｓな生活を徹底的に実践していた。

ゴミを出さないようにすることが前提だが、生活していると少なからずゴミは出てしまう。ゴミはすべて日本に持ち帰ることになっていて、かなり細かく分別される。日本でのリサイクルも考慮し、昭和基地では三十種類以上に分別している。「これはどこに分類されるんだろう……。」

覚えるのも慣れるのも大変だったが、南極の環境を守るために大事なこと。そのことを隊員一人一人が自覚し、徹底して行動していた。

また、南極では水がとても貴重だ。氷や雪はたくさんあるが、自然界で液体の水が見当たらない。

昭和基地の屋外には一〇〇キロリットル以上も入る大きな水槽やダムが設けられていて、その中に氷や雪を入れて融かして水をつくる。雪入れ作業は、水槽を壊さないようにショベルカーなどの重機は使えず、人力で行わなければならない。それに、氷や雪をただ融かせば飲み水になるわけではない。

昭和基地は海がすぐそばにあるので、雪には塩分が混ざっているのだ。造水機で塩分や汚れを除き、殺菌処理をして真水をつくるのだが、一分間で四リットルほど。そのため、節水を心掛けて生活する。

昭和基地には、基地の心臓とも言われる設備がある。それは、発電機だ。

基地内には常用ディーゼル発電機が二台設置してある。交互に使用し、常時一台が稼働して電力をつくり、供給している。発電機容量は二四〇キロワットで、三六〇馬力ある。発電機は、電力を供給するだけでなく、稼働時に発生する熱を利用して基地内の暖房に活用したり、雪や氷を融かして水をつくる造水にも活用されている。発電機が動かなくなると、電気や熱の供給ができなくなり、観測機器や暖房、水回り等の運転が止まってしまい、基地は機能停止に陥る。発電機が止まったら昭和基地の建物は四時間で凍るとも言われる。発電機なくしては、南極生活は成り立たないと言っても過言ではない。生命線なのだ。

発電機の近くを通ると、「ガーー」という振動が胸に感じるほどものすごく大きなエンジン音が鳴り響く。大声を出しても会話ができないほどだ。しかも、その音は二四時間やむことなく鳴り続け、絶え間なく聞こえる。しかし、私は決して騒音だとは感じなかった。むしろ、安心感を与えてくれていた。

温かく聞こえ続ける発電機のエンジン音。それは、本当に心臓の鼓動のように思え、南極で生活している緊張感を忘れるなと私に言い聞かせてくれるようだった。

コンセントに差すと電気が流れ、蛇口をひねると水が出る。日本にいたとき、いつのまにか当たり前のことのように感じてしまっていたことも、南極の生活を通してありがたいことであると改めて理解することができた。南極での生活も日本での生活も、多くの人に支えられて自分の生活が成り立っていると実感した。

昭和基地の生活の中で、決して途絶えてはならない重要な生命線が他にもある。

それは観測隊全員に一人一台渡され、隊員は電源を入れた状態で二四時間いつでもどこでも常時、肌身離さず身につけなければならない。基地で生活する上で義務付けられていることがいくつかあるが、その一つになっている。

帰国後の講演で「その答えは？」と尋ねたら、「携帯電話！」と子どもたちが考えを発表してくれた。日本にいたら重要な連絡ツールだが、ここは南極。携帯電話は使えない。

答えは、無線機だ。

基地内での隊員同士の連絡や野外調査に出たときに昭和基地との連絡に、現在も主な通信手段として無線機が使用され、重要な役割を果たしている。

観測隊には通信担当の隊員がいて、基地内の通信室に常在して無線通信の状況を見守っている。

昭和基地を離れての野外調査では、目的地に到着したら、すぐに観測を始めることはない。何よりも真っ先に取り掛かることは、アンテナの設置作業だ。無線機での通信手段を確保し、途切れさせないようにする。南極に向かう船の中で、アンテナの組み立て方や無線機の使い方、交信方法など講習や訓練をたっぷり積む。スムーズにできるようになるまで、全員がしっかりと身につけなければならない。

無線機を初めて見た私は、もちろん今まで触れたことも使ったこともなかった。初めはぎこちなかった操作や交信だが、何度も練習を重ね、慣れてスムーズにできるようになった。

南極では、「誰がどこにいて、何をしているか」を安全管理上、常に把握されていることが重要だ。連絡が取れなくなることは「遭難」とみなされ、すぐに捜索するためのレスキュー体制が隊全体に発動される。

無線は連絡を取り合うための通信手段だけでなく、生きているかどうかの生存確認でもあるのだ。無線通信はまさに隊員の命綱であり、無線機は命をつなぐ大事なアイテムなのだ。片時も手放せない、手放してはならないので、私は無線機を常にたすきがけして身につけていた。

無線機の配付

「水が不足してます。洗濯は控えて」と呼びかけたり、「海氷に出ます」と行動を伝えたり、無線機からは常に仲間の声が聞こえてくる。その声を聞くとほっとした。

私にとって無線機は、単なる通信手段というだけではなくなっていた。離れた場所にいても、無線機から聞こえてくる隊員たちの声を通して情報はもちろんだが、互いの思いも共有でき、仲間とつながっているという安心感を与えてくれる存在だった。

最も恐怖を感じた日

見渡す限り白一色の世界、南極大陸の内陸でのことだった。

その日、私はヘリコプターで昭和基地を離れ、Ｓ17というポイントに降り立った。そこは、昭和基地から東に約二〇キロメートル、南極大陸沿岸からだと一五キロメートルほど内陸に入ったところにある。もっと内陸へ行くときの中継地点となり、航空機の滑走路としても使われるなど、観測における重要な場所の一つだ。

私は南極大陸を覆う氷（氷床《ひょうしょう》）が海に向かってどのように動いているのか、その速さや方向を調べる観測に参加した。インスタントラーメンで簡単に昼食を済ませた後、Ｓ17に留め置きされている雪上車三台に分乗し、観測地点に向かった。

昨年の隊員が立てた赤と白のボーダー柄のポールを探し、見つけたポールの位置をＧＮＳＳ（Global Navigation Satellite System／全球測位衛星システム）を用いて二四時間観測し、氷床の変動を計測するというのが今回のミッション。ＧＮＳＳとは、人工衛星を利用して正確な位置を測定するシステムの総称で、ＧＰＳもこれに含まれる。

氷一面の世界の中で、一年前に立てたポールを探し出すことが至難の業だった。大体の位置の情報はあるが、氷床が動いた分だけ棒の位置も動いているため、すぐには見つからない。この辺りの氷床は一年に平均五メートルほど動いているそうだ。それに、ポールが雪で埋もれてしまっている可能性だってある。どこにあるかわからない、暗中模索というか白中模索。全員が手探りであちこち歩きまわって見つけ出す。

ようやく発見し、観測機器を設置したところで、強風が吹き始めた。まだ一カ所目、探す場所はあと二カ所ある。みるみる風は強くなり、吹雪になった。安全の確保が第一優先で無理は禁物だが、限られた期間の中で観測するために、ギリギリの状況を見極めながら続行した。吹雪で人や機材が吹き飛ばされそうになる中、みんなで必死に観測を続けた。ポールが折れていて探すのに苦労した所もあったが、なんとか三カ所すべてに観測機材を設置することができた。

南極大陸に舗装された道路はもちろんない。目標物などがない中、まっすぐ歩くことすら困難で、どこを向いているのかもわからなくなってくる。

見えない目的地にたどり着くこと。それは、出発前の冬訓でルート工作の訓練を積んできたが、想像していた以上に不安と恐怖、緊張を伴うものだった。

雪上車を運転するときは、ＧＰＳを頼りに位置を確認し、進む方向を調整しながら移動する。どこをどのように走っているのか、地図を見ていてもイメージすることは難しかった。なにせ、窓から見える景色は白一色で、吹雪いているのでさらに視界が悪かった。

Ｓ17に戻った頃には地吹雪がものすごく、おそらく風速は二〇メートル以上。猛吹雪が襲来した。飛んでくる氷が痛くて目を開けていられないほどで、立っていることもままならなかった。

私は地吹雪が吹き荒れる中、雪上車を出て、ライフロープをつたってトイレへ向かった。トイレへ行くのも命懸けだった。

視界は悪く周囲がほぼ見えなかった。

「これを離したら、二度と仲間のもとに帰れないかもしれない……」

そう思いながら、必死でライフロープを強く握りしめた。つかむ手は震えていた。このとき、出発前の冬訓練で、第六一次隊の青山越冬隊長が言った、

「南極は、いつでも死ねる場所。我々はそこへ行く」

という言葉を思い出していた。常に危険と隣り合わせの南極では、いつ何が起きるかわからない。

今でも、ライフロープをつかんだ、このときの感触や震えは鮮明に覚えている。

明日も内陸での観測が続くので、私たちは雪上車の中で泊まることになっていた。ここは南極大陸の内陸、雪上車にいる我々以外、他に誰もいない。一面氷に覆われ、まさにポツンと孤立した状況だ。猛吹雪では迎えのヘリコプターも飛行できない。

「もし、雪上車のエンジンがかからなくなってしまったら……。」

鳴りやまない吹雪の音を耳にしながら、そう考えると

S17での吹雪の様子（手前から線状に延びて見えるものがライフロープ）

不安で目を閉じることができなかったが、隣を見ると仲間がいる。仲間の姿を見ると心が落ち着いて安心し、いつの間にか眠りについた。

翌朝、目を覚ますと、「あれ、風の音がしない」、外に出た。

台風一過ならぬブリザード一過の晴天。遠くまで見渡せた。

「一体どのくらいの距離を見渡せているのだろうか。何もない。」

地平線がゆったりと丸くなっているように見えた。

氷の白色と空の青色。

二色の世界がどこまでも広がって続いている。ザ・「南極」という鮮烈な景色が、私の目に焼き付いた。

南極大陸の内陸（S17）にて

合言葉

観測隊の中では「合い言葉」がいくつかある。

南極へ向かう船内で数多くの研修や講習、訓練を受けた。そのどれにも共通していることがあった。

「南極では、状況が刻一刻と変化する。何より無茶は禁物で、安全が第一優先。自分の体や体調は、自分自身が一番の責任を持って行動することが求められる」

という教訓だ。

南極では、常に自然と向き合って生きていく。安全が保証され、守られた場所なんてどこにもない。自然を相手にするので、人間の想像を超えるような事態が起こるかもしれない。常にあらゆる事を想定し、そのための準備を徹底的に行っておくことが重要で、命をつなぐために必須だ。ある一つの行動計画を実行する際、もしこうなったらBプランを、またもしこうなったらCプランを、といったように備えを常に想定して行動する。

南極で生きる観測隊員は、ときに勇気を奮い立たせて行動する大胆さも大事だが、慎重さや柔軟さも兼ね備えなければ、生き抜けない。そのことを南極での生活を通して、私はよく理解した。

「備えよ、常に」

これが南極での合言葉の一つだ。

毎朝行われる朝礼の際、ペアで行う安全点検も気が抜けない。点検確認がOKのときも、昭和基地ですれ違ったときも、隊員同士で交わす言葉がある。

年齢も価値観も、専門分野も様々な観測隊のメンバーだが、もし共通の目標があるとするなら、「南極観測を安全に遂行し、ともに生きて帰る」ことだろう。

安全の確保が最優先事項であることを隊全体で共有する心構え。

「ご安全に」

安全に徹することが南極観測の成功や継続に何よりつながることを皆が理解している。この言葉には相手への思いやりや安全への願い、ともに生きて帰ろうという思いが込められている。

「備えよ、常に」

「ご安全に」

南極という過酷な環境で、観測や生活を仲間とともに協働して行う。南極の地で仲間とともに肌で学んできた精神は、合言葉とともに帰国した今も常に心に留めている。

南極での様々な活動

昭和基地での滞在が始まり、まもなく海氷上での観測に参加した。海氷とは海水が凍結した氷のことをいう。海氷上での観測とは、つまり、海の上で観測をするということなのだ。

海氷の厚さは一から五メートルほど。崩れる恐れはないか、氷の裂け目はないか、安全を確かめながら歩く。氷の裂け目に落ちたら、おそらく命の保証はない。

「この、真下には深く冷たい海が広がっている。」

そう思うと、一歩を踏み出すのも恐る恐る……。海氷上では、必ず複数名で行動することが義務付けられていて、決められたルート以外を自由に歩き回ることは禁止だった。

昭和基地沖（北《きた》の浦《うら》）の海氷の上で、私は海氷分布のモニタリングや海氷下のプランクトンの調査を目的とした観測に参加した。

「しらせ」や昭和基地から観測機材をソリに乗せ、スノーモービルで海氷上を移動し、観測地点に向かった。海氷の上の積雪の深さを測ったり、海氷に穴を開けてコア（氷の柱）を採取したりした。私は、測定結果を記録する書記係を担当した。このとき、「南極では鉛筆が必需品だ」と実感した。ペンでは、寒さでインクが固まってしまうからだ。

海氷分布のモニタリングは以前から行われてきた観測だが、プランクトンなどの生態系観測は六一次隊で初めて実施されたことだった。海氷にできた隙間から小型のネットを投入してプランクトンを採取したり、海氷下にセンサーを挿入して海氷が植物プランクトンの光合成をどれだけ制限するかを調べたりした。海氷がどのように南極海の環境や生態系に影響しているのか、新しい研究成果が期待される。

昭和基地には南極初の観測レーダーがある。その名は『ＰＡＮＳＹ《パンジー》』。東京ドーム二個分の広さの土地にアンテナが並んでいる。一〇四五本のアンテナが連動して一つの巨大レーダーのように、地表付近から高度五〇〇キロメートル付近までの広い領域の大気の流れを精密に観測することができる。南極最大の大気レーダーだ。観測データは世界中の研究者が使い、オゾンホールやオーロラ、地球全体の気象気候システムの解明、気候変動予測など様々な研究につながる。

アンテナが雪で埋もれないように除雪を手作業で行っていると聞いて、私も他の隊員とともに自ら志願して除雪作業に加わった。

ＰＡＮＳＹエリアに到着し、丘の上からの眺めは圧巻だった。南極大陸を背景に千本以上ものアンテナがずらっと並ぶ、いかにも南極の観測基地を思い起こさせる光景だった。

精密機器なので傷つけずに、手作業で慎重に除雪しなくてはいけない。思った以上に神経と体力を使う作業だった。「世界最先端の機器を、世界の果てで動かしていたいんだよね。」極寒の中、汗を流して作業しながら、隊員はそう笑顔で語っていた。私は、南極観測に込められた熱意と誇りを感じた。

昭和基地をヘリコプターで飛び立って、露岩域《ろがんいき》といわれる場所に向かったこともあった。南極大陸といえば雪と氷の世界というイメージだが、氷床から岩がむき出しになっている場所が限られた地域に存在し、露岩域という。地面が氷に覆われることなく露出しているため、生物や地質等の研究観測に絶好の地域となる。

昭和基地から南へ約五〇キロメートルの位置にあるスカルブスネスというところ。氷河が削った谷には湖が点在していて、きざはし浜小屋という観測小屋がある。地圏モニタリングの観測機器のメンテナンス等を目的に地圏観測の隊員とともに訪れた。

整備中、何かの気配を感じて、ふと後ろをふり向くと、

「え！……あっ、ペンギン！」

ペンギンと目が合った。その途端に「あっ、ばれちゃった！」と言ったような表情で、ペンギンは慌てて走って逃げてしまった。

しばらく経ち、再び気配を感じてふり返ると……、少し遠くの岩陰からひょっこり顔を出し、ペンギンが私たちを見ていた。

岩陰から観測を見守るアデリーペンギン

「どう？　整備は順調ですか？」

そう言いたげな様子に見えた。

私たちの観測を見守ってくれているように思えた。


スカルブスネスよりさらに南へ約五〇キロメートル、昭和基地から南へ約一〇〇キロメートルの位置にあるルンドボークスヘッタという露岩域にも行くことができた。そこでは氷の壁が間近にそびえ立ち、縞模様の氷の層が自然の造形美をつくり出していた。縞模様になった氷の層は、まるでチョコレートケーキのようにも見えた。日本で人気のアニメの主人公たちが訪れたことでも有名な場所だ。

岩山を登ると、水が流れる音が聞こえて驚いた。氷が融けて小さな川のように流れていた。キラキラと太陽の光を反射していて、まぶしい。持参していた水筒のコップで水をすくって飲んでみた。

「うまい！」南極の天然水。人間活動がほとんど行われていない、ありのままの地球自然の味。南極の環境の貴重さを五感で改めて実感した瞬間だった。


露岩域でテントを張って、野外泊を伴った観測に参加したこともあった。場所は昭和基地より南へ約三〇キロメートルの位置にあるラングホブデ。昭和基地からヘリコプターで十分ほどで到着した。標高三七八メートルの長頭山《ちょうとうざん》という山がそびえたち、観測隊の間では山頂からの眺望が絶景ということで知られていた。私も隊員とともに登山した。山頂からは遠くに氷河も見え、見晴らしのよい眺めと南極の風を感じた。

ルンドボークスヘッタの氷層（ヘリコプターから撮影）

ルンドボークスヘッタにて氷が融けてできた小川

ラングホブデの露岩域（ヘリコプターから撮影）

本書に登場する野外観測地点

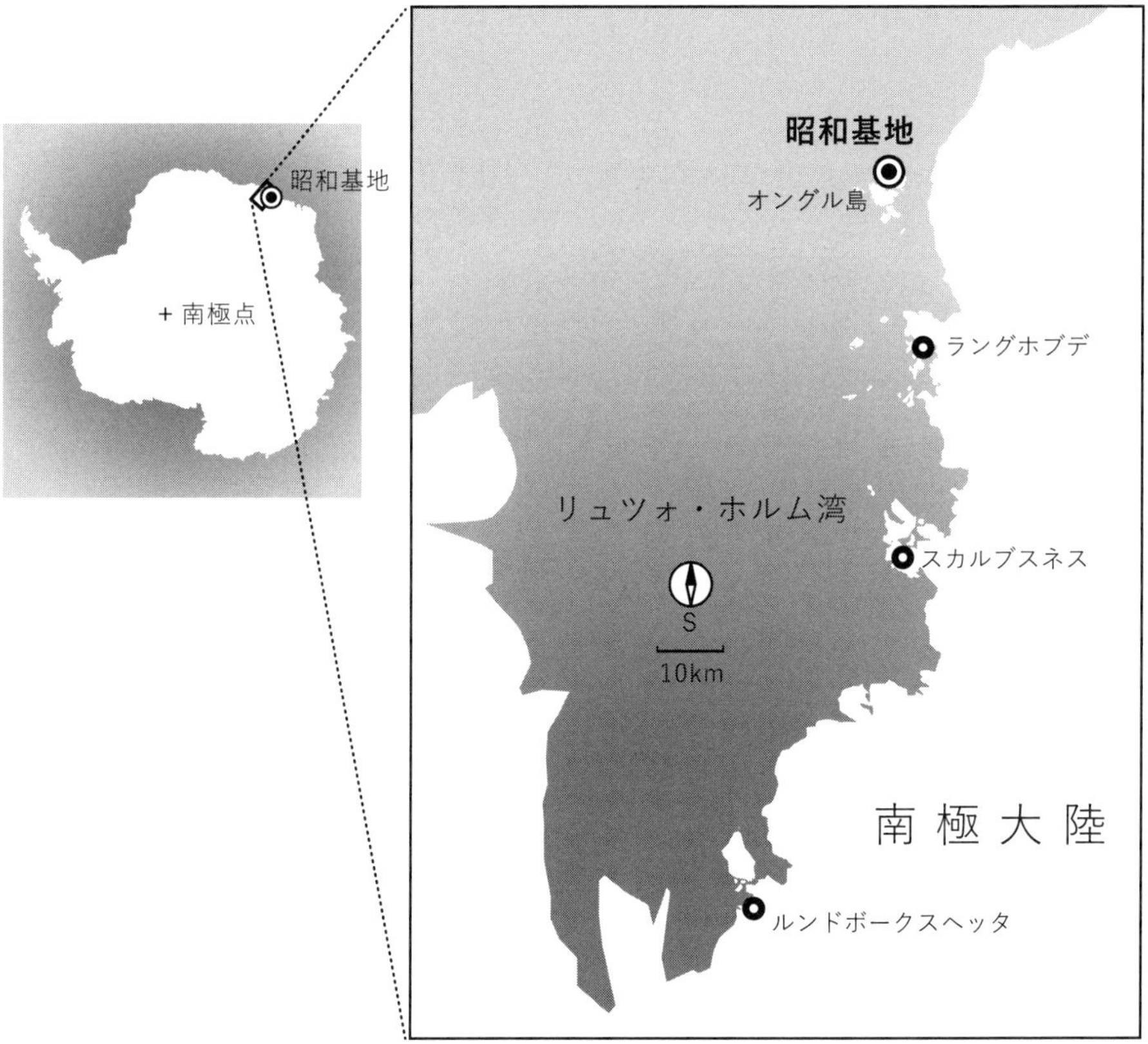

参考：国立極地研究所ウェブサイト
東南極リュツォ・ホルム湾沿岸での GNSS 観測と地殻変動の検出

ラングホブデでは、過去から現在まで東南極の氷床がどう変化してきたか、その変動を調べるため、昭和基地周辺の沿岸域の湖沼や浅海でボートから堆積物を採取する観測等が実施されていた。

採取された堆積物を見せてもらった。

「泥？　この泥が堆積物？」驚いた表情と「？」の疑問がたくさん浮かんでいる私の顔を見て、

「そう、この泥がいろんなことを教えてくれるんだ。

海だった証や海水面の高さ、気候の情報も。」

愛おしそうに採取した泥を見つめながら教えてくれた。

「タイムカプセルみたいですね。」そう私が言うと、

「まさに。どんなメッセージが込められているのか、解読しないとね。」

研究者の熱い志に触れて、私も教師として南極授業への思いがまたグッと熱くなった。

海や湖の底にたまる堆積物である泥には南極の過去の環境が詰まっていて、分析することで詳しい年代を特定し、氷の量や海水面、気候など環境の変動を解き明かすことにつながる。未来を予測するためにも過去に何が起きていたのかを正確に知る必要があるのだ。

長期間の野外観測には準備万端で臨むのだが、現地に行ってから「あんな物があれば」と思うことも少なくない。

「ないものは、考えて工夫してつくりだす。」そんなときの合言葉だ。

目的の水深ごとに水を採取しようということになったのだが、南極の野外であるここに、「しらせ」に搭載されているような大がかりな装置はない。「ああ、ダメか……」、なんて諦めることはしない。

「どうしたらいいかな。」「あっ。これはどうだろう?」「うまくいかないか……。じゃあ、これはどう?」といったように、できない理由を考えるのではなく、どうしたらできるのかを皆で考え、アイディアを出し合った。失敗も学びの一つ、次に生かす。悪戦苦闘、試行錯誤しながら様々な方法を試し、最後は空き瓶を使って装置を創り出してしまった。

「やったー、成功だ!」皆で喜びを分かち合った。


ラングホブデを訪れたのは、南極授業の他に私に与えられた任務を遂行するためでもあった。それは、高校生が考えた観測提案を現地、南極で実施することだ。

国立極地研究所では二〇〇四年より、中学生および高校生から極地で実施したい観測や実験の提案を募集する科学コンテストである「中高生南極北極科学コンテスト」を行ってきた。そして、優秀な提案は南極地域観測隊や北極での観測チームによって現地で実験・観測が行われ、得られた結果は提案者へフィードバックされる。教育現場である中高生や教員と、研究者、南極北極の観測現場が連携する取り組みだ。

二〇一九年十一月十日、もうすぐ南極出発を控えた頃、「南極北極ジュニアフォーラム二〇一九」が極地研で開催された。表彰式や受賞者による提案内容の発表等が行われ、私も出席した。第一六回中高生南極北極科学コンテストの優秀賞・南極北極科学賞には「極域のマイクロプラスチックとプランクトン調査」の提案が受賞した。

「高校生の提案を高校の先生が南極で観測してくる。そして帰国後、高校生につなぐ。すごく、夢があるなって思うんだよね。」

副隊長の思いが詰まった言葉を受け、私は大切なミッションの一つを任されることになった。

フォーラム終了後、私は高校生が考えて自作したオリジナルの実験装置の使い方について高校生たちからレクチャーを受け、観測に関する打ち合わせを行った。

「よろしくお願いします。」

高校生から直接、手作りの実験装置とともに彼らの思いも受け取った。

南極で観測の準備をしていたとき、その日のことが思い出され、私は高校生の思いが詰まった実験装置をじっと見つめ、

「今から、調査を開始します。しっかり、やり遂げるね」

と声に出した。

他の隊員と協力しながら調査を実施し、任務を遂行することができた。

「大切に持ち帰るからね。もう少し待っててね。」

今度は私や副隊長、調査に協力してくれた隊員の思いもたくさん詰めて、高校生へバトンタッチ。

帰国後は、南極で実施された観測について受賞者へ報告することを目的として、「南極北極ジュニアフォーラム二〇二〇」がオンラインで開催され、私もそこで発表した。

高校生提案の実験中

昭和基地内では、気象庁から派遣された気象隊員が実施している観測の一つである高層気象観測に私も参加した。

白いゴム気球が直径一・五メートルほどの大きさに膨らむまでヘリウムガスを入れ、そのゴム気球に、ラジオゾンデという小さな観測機器をつるして大空に向かって飛ばし、高度約三〇キロメートルまでの大気の状態を観測する。

ラジオゾンデとは、上空の気温、湿度、風向、風速等の気象データを測定する機器で、測定した情報を送信するための無線送信機も搭載されている。この観測は一日二回、世界中で同時に行われていて、昭和基地では現地時間で三時と一五時に観測、その観測時刻三〇分前に気球を飛ばす。時間をきっちり守り、たとえ強風など悪天候の中であっても毎日欠かさず実施し続ける。

時刻は一四時半、気球を放つときがきた。

「放球！」

と叫びながら、私は握っていた糸やラジオゾンデから手を離した。

「がんばれー、頼んだぞー！　いってらっしゃい、どうか無事に。」

飛んで行く白い気球を見つめ、願いを込めた。みるみるうちに大空へと吸い込まれていった。

その後、気象隊員とともに観測室でモニターを見つめた。

「おっ、来たぞ。」

遥かかなたの上空にいる観測機からデータが届き始め、隊員も私もほっとした。

得られたデータは世界各国の気象機関に送られ、天気予報や気候変動・地球環境の研究に活用され、航空機の運航にも欠かせない重要な気象データとなっている。

高層気象観測の他にも、気象に関して様々な観測が行われているが、日本の南極観測の中でも最大の発見の一つと言える成果がある。それは、オゾンホールの発見だ。日本の観測隊が世界で初めてオゾンホールに関して発表した。

南極の上空には、フロンなどの化学物質によってオゾン層が破壊され、穴が開きホールのようにみえる場所があり、この穴のことをオゾンホールという。これによって有害な紫外線が地上に降り注ぎ、深刻な健康被害などの悪影響を及ぼすことが懸念されている。昭和基地では継続してオゾン観測が行われている。その中で一九八二年、第二三次隊のとき南極上空のオゾンが減少していることがわかったのだ。地道に観測を継続して、積み重ねてきたデータの蓄積が未知の発見につながったということだ。

南極観測事業の功績とも言えるオゾンホールの発見につながった観測は、気象棟という建物で行われた。第一四次隊で建築されてから約五十年、昭和基地で多くの隊員とともに観測の歴史を歩んできた。しかし、新しく建築された基本観測棟に機能を移し、気象棟は第六一次隊で解体されることとなった。

南極の昭和基地では、短い夏が建設工事を行える唯一の期間である。作業しやすい夏の間に建物を建てたり解体したりといった工事が行われ、重機やトラックが行き交う。まさに工事現場そのものだ。

南極地域観測隊は観測を担当する観測部門と観測や生活を支える設営部門がある。観測部門はその名の通り、観測や調査、観測機器のメンテナンスなどを担う。設営部門は、基地の補修や機械の整備をするエンジニアや医師、調理師などの隊員で、基地の維持管理を担う。この建築作業なども設営活動の一つだ。

氷の海に閉ざされた南極では、観測や調査に専念するだけでなく、自らの生活も管理しなければならない。日本では簡単なことも、南極ではそうはいかない。もし何か起こったら、すべてを隊員同士で補い合って、解決する必要がある。そこで、観測隊には様々な分野のプロフェッショナルがいる。ただ、限られた人数で多くのことを成し遂げるのには協力、協働が欠かせない。皆がワンチームの志を持って力を合わせて、南極観測は初めて成功するのだ。

六一次隊は往復路におけるトッテン氷河沖の集中観測のため、例年より昭和基地への到着が遅く、出発は早くなる日程で、昭和基地での夏期行動期間が約一カ月と例年より二週間以上も短い。行動期間が短くはなっても、例年通りの任務はもちろんのこと、他にも遂行しなければならない任務は山積みだ。六一次隊みんなの協力体制がとても重要になってくる。

そのことを私も強く感じ、自らハンマーやトンカチを手にし、解体作業に加わった。今まで建築工事の経験はまったくない、ド素人。建築担当の隊員から手ほどきを受け、取り掛かった。だんだんと慣れた手つきになっていき、黙々と気象棟の木製パネルの壁を解体していった。

周りを見ると、海上自衛隊の方々や調理隊員、医療隊員や気象隊員など建築担当以外のメンバーも多く駆けつけ、みんなで協働しながら作業が進められていった。

「ここでの思い出もたくさんあるからね。ありがとう、気象棟。」

解体工事が完了し、更地となった気象棟の跡地を見つめながら、そう呟く隊員の表情を見て、私も感謝と切なさが混ざった気持ちになった。感傷に浸る間もなく、すぐに次の工事が始まった。

基本観測棟に高層気象観測を実施するための放球デッキを建設する工事だ。現在、昭和基地では老朽化した各棟を解体し、その機能を基本観測棟へと順次移転を進めていて、集約することで効率的な運用が図られている。

私は打設《だせつ》といって生コンクリート（固まっていないコンクリート）を型枠に流し込み、建築の基礎となる部分を工事する作業に参加した。生コンクリートを見るのも初めてだった。多くの隊員と「しらせ」乗組員で協力し、二週間ほどで放球デッキが完成した。竣工式のセレモニーも開かれた。私もセレモニーに参加し、無事に完成したことの感謝の気持ちを仲間と共有し、今後の活躍を祈念した。

新たな放球デッキに、これまでの歴史が受け継がれていく。

「この階段のこの部分。確かに、私がここ南極の昭和基地で作業した証なんだ。

いつまでもご安全に。」

私は建築された放球デッキに手を置き、胸を張った。愛着を持たずにはいられなかった。そして、これからの南極観測を支えていくのだと思うと、私も誇らしげな気持ちになり、「お互い頑張っていこう」と約束を交わした。

放球デッキ建設作業の様子

一年で一度、「しらせ」が昭和基地へ来る夏の間にしかできないことが他にもある。昭和基地への燃料や物資の補給だ。「しらせ」はその輸送のすべてを担っている。つまり、「しらせ」が日本へ帰った後は、人員の交代も補給も不可能ということになる。次の年に「しらせ」がやってくるまで待つほかかない。

昭和基地への運び入れや運び出しは、「しらせ」が昭和基地沖に接岸《せつがん》している夏期間にしか実施できない。この輸送が、隊員たちの命や昭和基地の機能維持の命運の鍵を握っていると言っても過言ではない。南極観測の継続を支える最も重要なオペレーションと言えるのだ。

「しらせ」が昭和基地沖に到着すると、ただちに隊員総出で燃料の輸送に取り掛かる。

私も、すぐに輸送が始められるように、他の隊員と一緒に昭和基地から海氷を歩きながら、燃料輸送の短いホースを連結して延長させ、「しらせ」到着地点に先回りしてスタンバイした。

昭和基地の沖合約四〇〇メートルの場所に接岸した「しらせ」の燃料タンクと昭和基地のタンクがホースで接続され、燃料輸送が無事に開始された。その様子を隊員みんなで見守った。

燃料輸送に続き、次は物資輸送。物資の輸送はヘリコプターと雪上車を使って行われる。海氷上を雪上車で移動して輸送することを、観測隊では氷上《ひょうじょう》輸送と呼んでいる。

私も氷上輸送に同行し、雪上車に揺られながら、昭和基地と「しらせ」を何度も往復した。

こうして「しらせ」から昭和基地に送り込んだ物資は、合計九七三トンに及んだ。そして、持ち帰り物資は四〇〇トンほどを積み込んだ。

他にも、様々な観測小屋や施設設備に連れて行ってもらい、多くの観測活動を見守った。

南極観測の活動すべてにおいて安全に遂行するという目標を全員で共有し、皆で協力、協働しながら、一つ一つ進めていった。非常に濃密な時間だった。

トッテン氷河の海に突き出ている末端
その下に流れ込んでいて
氷河を融かしている
〝暖かい海水〟の存在
観測データで目の当たりにした
地球の今を知った
そして、過去と比べて変化を実感した

隊員の生活は
人員確認に始まり、人員確認に終わる
といっても過言ではない
業種や年齢、性別など
いろいろな枠組みを越えて
命を、人生を預け合う仲間
こんなにも心を動かされ
命懸けで四六時中、
様々なことを共有した仲間
今も続く絆

観測の合間に海の上で昼ご飯

朝礼にてみんなでラジオ体操

「しらせ」船上からセンサー投下

南極大陸で吹雪の中の観測

南極で出会った自然

アデリーペンギン

体長は70㎝ほど。昭和基地の周辺でも頻繁に見ることができた。

観測中ふと後ろをふり返ると、「おーい、きたざわせんせーい」と呼んで、両手を広げるような姿で私に近づいてきた。こちらが尻込みするほど好奇心旺盛で、人間に興味津々な様子は本当に愛らしく感じたが、過酷な環境で生きるたくましさも感じた。

アデリーペンギンのルッカリー（営巣地）

夏の南極大陸の沿岸域ではアデリーペンギンが子育ての真っ最中。小石を集めて巣を作り、集団で繁殖し、オスとメスが協力して交代で子育てをする。このような集団営巣地を「ルッカリー」と言う。

ちなみにルッカリーの風下に立つと、何とも言えない強烈な匂いがする。ペンギンたちの姿を見ていたくて必死で我慢した。

ナンキョクオオトウゾクカモメ

ペンギンの卵やヒナを捕食する。トウゾクカモメが近づいてきたので、手前のペンギンが頭の毛を逆立てて威嚇している。

野外観測のとき、トウゾクカモメに遭遇してしまい、羽を広げて私の方に向かって勢いよく飛んできたときは、襲われそうでとても怖かった。

コウテイペンギン

南極で出会った２種類のペンギンのうち、もう１種がコウテイペンギン。世界最大のペンギンで、体長は130㎝にも達する。ツヤツヤした羽毛が印象的で、ゆったりと歩く姿は貫禄がある。氷の上では歩くより滑る方がはるかに速く、お腹を滑らせている様子がよく見られた。

アザラシ

アザラシは世界で最も南に住む哺乳類で、全身を密な毛と厚い皮下脂肪で覆うことで寒さを防いでいる。

「しらせ」が氷を割って進む様子を船首から見ていたとき、大きな音にもかまわず氷の上でゆったり寝そべっていたり、親子かとみられるアザラシたちの様子を間近で見ることができた。

アザラシのミイラ

仲間と一緒に露岩域を歩いていたときアザラシのミイラを発見。近づいてみたが、匂いもなく、毛もフサフサしていて、爪も残ったままだった（巻頭カラー）。

低温で乾燥し分解者の微生物が少ない南極では、腐敗が進まない。数百年前か数千年前のものか……。

ここ南極で確かに息づいていた命と、広大な時の流れをすぐそばで実感した。

昭和基地の映えスポット!?

▶ペンギンの標識

昭和基地に信号機はないが、標識を思わせる看板が立っている。日本ではシカやタヌキが描かれる「動物注意」のモデル。ここ南極ではペンギンだ。実際に、この標識の近くでペンギンが通っているところを私も目撃した。

▶極道 13

路線名を示す青い標識に似せた看板も設置されている。『極道 13 ROUTE』と書かれている。なぜ、13 かというと、基地内の道の工事の際に尽力した隊員の名前に由来しているとのこと。

◀ロードサイン

19 広場の近くにも方向を示す看板がある。グルッと一周して見ると、「MIZUHO」や「ASUKA」、「DOME FUJI」と日本の基地の名称や「TOKYO」、「FREMANTLE」、「SYDNEY」など観測隊と関わり深い都市名が書かれ、昭和基地からの距離も記されていた。それぞれその場所がある方角へと向けられている。

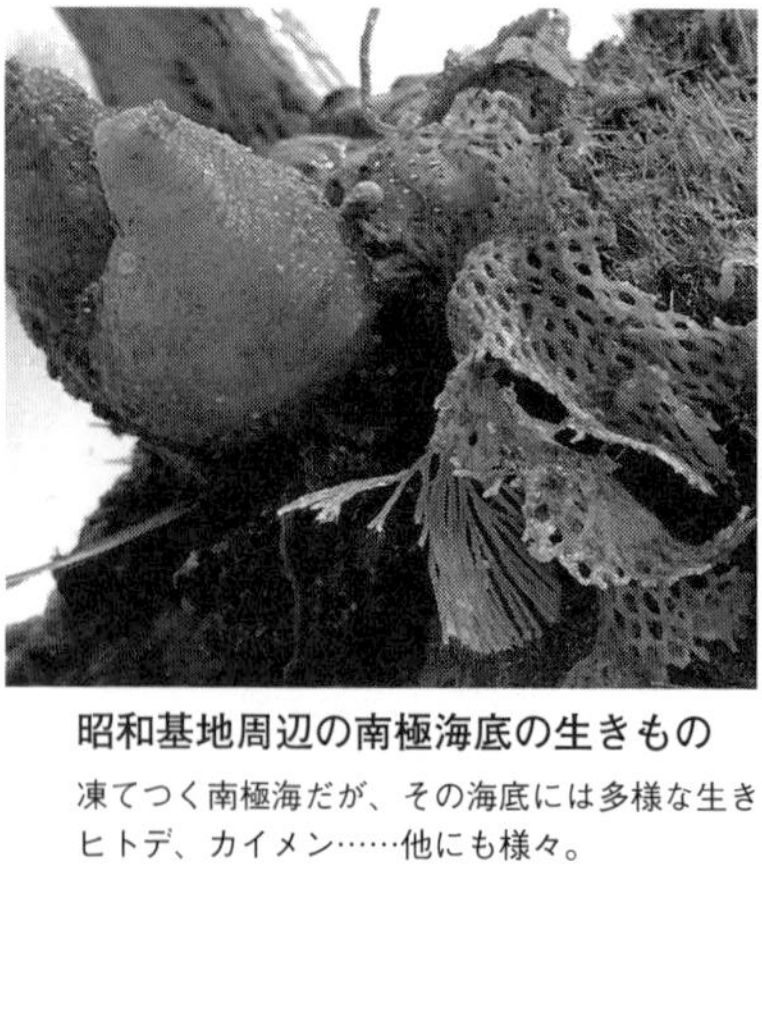

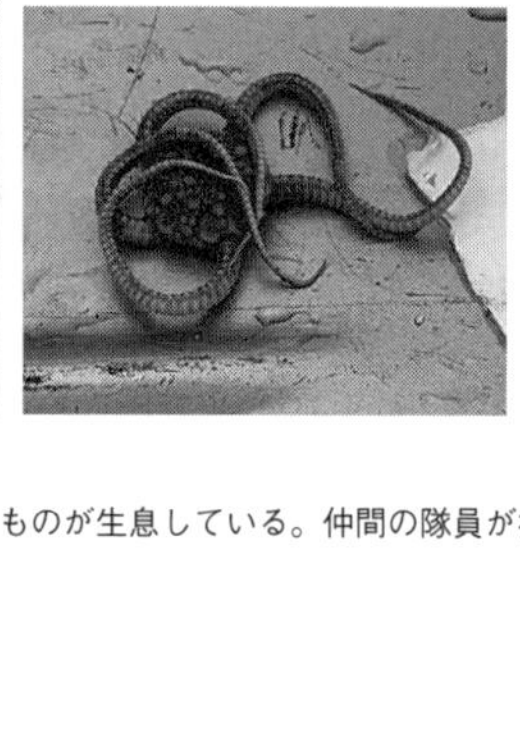

昭和基地周辺の南極海底の生きもの

凍てつく南極海だが、その海底には多様な生きものが生息している。仲間の隊員が採取した生きものたち。

ヒトデ、カイメン……他にも様々。

露岩域で見つけた苔!?

ヘリコプターで昭和基地から離れた露岩域を訪れた。そのとき、黒色や緑色の苔のような生きものを発見。短い夏に懸命に生きる、命の息吹を感じた。

よく見ると、ザクロ石（ガーネット）とみられる岩に生息していた。なんだか贅沢。

コケ坊主（コケボウズ）

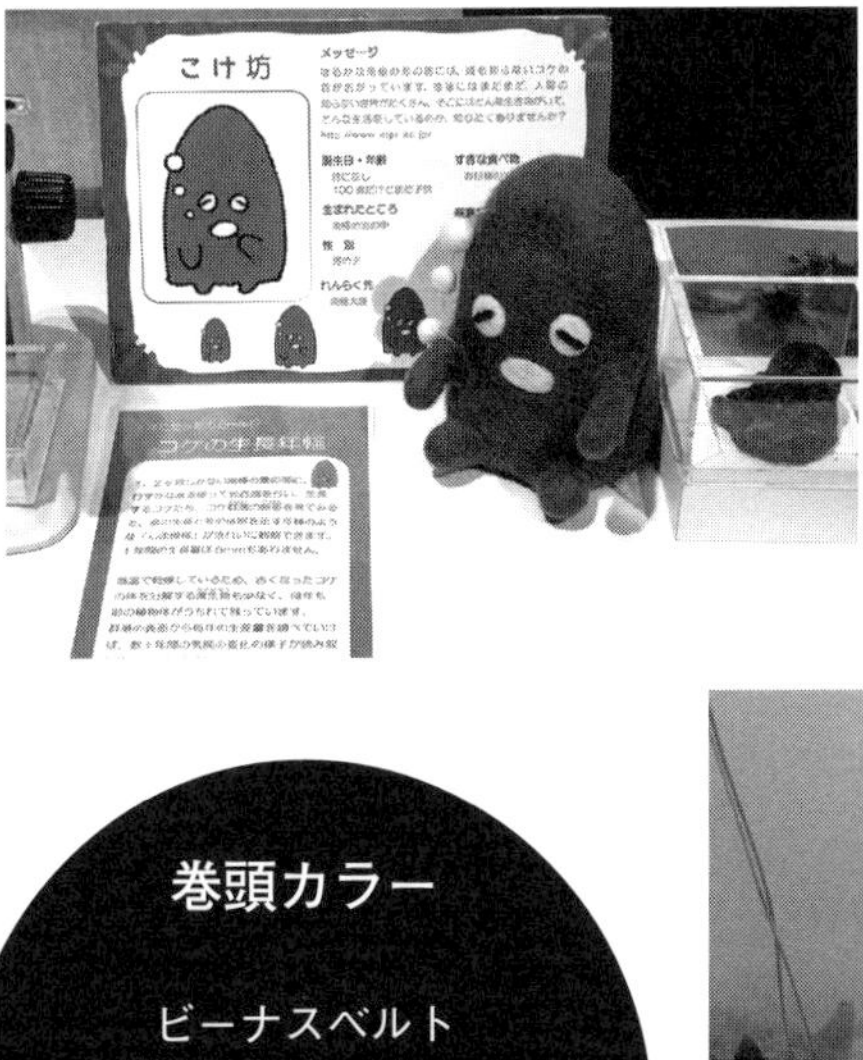

コケ坊主、なんともかわいらしい名前。伊村隊長（64次隊）が36次隊で南極を訪れたとき、世界で初めて発見し、コケ坊主と名付けたということだ。

このコケ坊主、陸上ではなく水中で発見された。昭和基地近くのくぼ地に雪解け水が溜まってできた湖の底。ボートから水中を観察していたとき、不思議な塊を見つけたという。コケ坊主は、コケ類を中心に藻類、バクテリアなどで構成された集合体とのこと。

写真を見ていると、なんだか水中に森が広がる不思議な世界にも見えてくる。そんなコケ坊主を私もいつか見てみたいと思った。

画像提供：国立極地研究所

海氷に映る「しらせ」の影と凍ったカップ麺

航海中、一刻一刻と氷の様子が移り変わっていき、ずっと見ていても飽きることはなかった。ガチガチに凍った白い海には「しらせ」の黒い船影がくっきりと映る。見とれているうちに、カップ麺もカチカチに凍ってしまった。

白夜の氷上輸送

氷上輸送は深夜に行われる。

海氷の表面や雪面は日射により柔らかくなってしまうので、気温が低下する深夜の方が氷の状態が安定しているためだ。

深夜と言っても空は明るい。白夜だ。太陽に照らされる真夜中の氷上輸送。なんとも南極ならではの光景だと思った。私は眠い目をこすり、「ガガガ……」という音を立てながら慎重に進む雪上車に揺られながら基地と「しらせ」（約2㎞の道のり）を何度も往復した。

養生テープが大活躍？

サングラスや目出し帽を身につけると、誰だか見分けにくいことが難点。

そこで、大活躍だったのが養生テープ。ヘルメットや上着に養生テープを貼って、名前を書くことで誰だか一目瞭然。名札になるのだ。隊全体でおそろいの服装も多いので、すぐに誰のだかわかるように養生テープの名札をいたるところに貼っていた。

海の上で集合写真！　日焼け対策……

海氷上で撮影した海洋観測チームの集合写真。「佑子は、どこにいるの？」帰国後、両親に写真を見せたとき、２人とも私を見つけられなかった。朝から行われる観測は夕方まで一日中続く。影がない海氷上では太陽光を上からだけでなく、白い氷に反射して下からも浴び続けるので、サングラスや目出し帽などの日焼け対策がとても大切。

昭和基地の地面

昭和基地の地面をよく見ると、ボコボコと穴がたくさん開いているところがあった。大きな岩まで穴だらけ。その形状から蜂の巣岩と呼ばれている。

激しい風によって浸食されてできたもので、小石がぶつかったりして、穴はさらに大きくなる。

歩いていると、ポツンとたたずむ石に出会った。付近の岩石とは種類が異なるように見えた。なぜここにあるのか……不自然さや違和感の塊みたいな石。

これは迷子石と言って、氷河によって別の場所から運ばれてきて、氷河がなくなる過程で取り残されたもの。自然が造り出したアートにも思えた。

南極は隕石の宝庫

宇宙から飛んできた隕石が南極ではよく見つかるという。なぜかというと、隕石は真っ黒いので、白い氷の上だと目につきやすいのだ。さらに、氷床の上に落ちた隕石は氷床の流れによって移動し、山脈などでせき止められると氷上に露出し、見つかりやすいという。

月や火星からきた隕石など、日本はこれまでに 1.7 万個近くの隕石を収集している。私も見つけられるかな？　とちょっと期待していたが、今回出会うことは叶わなかった。いつか見つけてみたいと思った。

画像提供：国立極地研究所

第五章　『南極授業』

高校教師、南極へ行く

日本から遥か南へ一万四千キロ離れた地球の果て、南極。

私は茨城県で初めて南極へ行く高校教師となった。六月二十一日に正式発表されてから、新聞やラジオなど次から次へと多くの取材依頼をいただいた。そのとき、必ず質問されることが二つあった。

一つ目は、

「観測隊で教師が南極へ行く目的は？」

という内容。

教師として南極へ行くということを、私は教員南極派遣プログラムのねらいに沿って答えた。

「現職の先生は、子どもたちにとってわかりやすい言葉や表現で、南極のことを的確に伝えてくれるに違いない。また日本にいる児童生徒にとってみれば、自分の担任や同じ学校の先生が、南極から直接自分たちに語りかけているインパクトは決して小さくはないはず。このような「南極を教育現場に」という思いから、教員南極派遣プログラムは始まったと伺っています。

このプログラムは南極観測を実施している国の中では日本だけだそうです。第五一次南極地域観測隊より、全国の学校の教員が夏隊に同行しています。昭和基地から『南極授業』を実施し、帰国後は教育活動や講演などを通じて南極観測の意義や魅力を子どもたちをはじめ多くの方へ届けていくことが私の任務です。」

そう答えると、続いて問いかけられる。

二つ目は、

「北澤先生は、どのような南極授業をしたいのですか？」

という内容。

この頃の私は、どんな南極授業にしたいのか考えを巡らせていても、まだ具体的には答えられなかった。「他でもない自分が南極へ行く意味とは。私だからこそ伝えられる南極授業を届けたい」と、自問自答を繰り返していた。応募書類を作成しているときにも増して南極や観測隊について調べて勉強しまくった。

昭和基地と中継を結ぶ日本側の南極授業の会場は、二〇二〇年一月二十五日(土)にミュージアムパーク茨城県自然博物館、二十七日(月)に勤務校の守谷高校となった。

南極授業の展開や、機材・展示をどのように設置するかなどの段取りに関する打ち合わせ等、私が国内にいる間に進めておかなければならないことがいくつもあった。

出発の日は刻々と近づいていった。

膨らむ構想、見つめ直した原点

南極はどれもこれもが教材になる切り口が満載で、あれもこれもと思えてしまう。南極や観測隊について調べれば調べるほど、知れば知るほど、どうしていいのか悩んでしまう。

そんな考えを巡らせていたとき、

「北澤先生は一番、何を伝えたいの？」

熊谷副隊長から問われた。その言葉を受けて、私も任務を担った隊の一人であることを強く認識した。

どのような南極授業を届けたいのか、私自身が明確なビジョンを持って具体的な指導案を作らなければ、この先は何も進まない。六一次隊の中で教員は私一人だけ。教師として、教育のプロとして自覚をもって、任務遂行のためにしっかりしなければと胸に刻んだ。

後日、国立極地研究所で実施された打ち合わせのとき、思い悩んでいた私の姿を察してか、

「南極授業の準備はどう？　順調？」

副隊長がまた優しく声をかけてくれた。

「行ってみてからでないとわからないこともある。行ったからこそわかることがある。現地では天候次第で行動変更も余儀なくされるので授業の内容を決め過ぎて、固執し過ぎないことも大事だと思うよ。

あと、南極についてたくさんの勉強をしてきたのだから、いっそ真っ新にしてみたら？

先入観や思い込みをなくして、現地で感じた北澤先生の等身大の直感も大事に。そうしたら、

見えてくるものがあるかもしれないよ？　初めての南極、現地で味わう感動を大切に。北澤先生が生徒たちへ伝えたいと素直に思ったことも大事にしよう。」

熊谷副隊長は真剣で本気な眼差しながらも、温かい声で話してくれた。

そのとき私の中で、風がすっと吹き抜けていったように感じた。深呼吸をすると、心の中で何かが吹っ切れた感じがした。


私が南極で素直に感じたことや、観測隊として肌で学んだこと、生徒たちへ伝えたいと思ったことを大事にする。そのために、様々なことに全力でチャレンジする。

もちろん熊谷副隊長は、南極に行ってから成り行き任せでＯＫと言っている訳ではない。準備を万全にしているからこそ、気づけるものがあるということを言っているのだと思った。まずは自分が届けたい南極授業を実現するために徹底的に準備を進めていこうと、前向きな気持ちが膨らんだ。

道徳教育～人間を育てる南極～

私は教師としての自分の原点を見つめ直すことにした。今まで私が授業で大切にしてきたこと。教師として、私の原点の一つは道徳だ。

茨城県では平成十九年四月から全国に先駆けて、初めて県立高等学校の授業で道徳の時間を開設し、第一学年を対象に必修とされた。目的は、未来に向けて人生や社会を切り拓いていこうとする生徒の道徳的実践力を高めていくことにあった。
私は道徳教育の充実に向けた故郷のアプローチの歴史を知り、心が熱くなった。生徒が今を見つめて将来を切り拓いていける豊かな人間性を培っていけるよう、生徒とともに歩んでいくことが大切であるという教師の姿が私の心の中に浮かび上がり、地元である茨城県の情熱を誇らしく感じた。

私は以前、道徳教育の研究会で依頼を受け、道徳の授業を実践して研究授業を発表したことがあった。このとき、古河市出身の元ハンセン病患者の平沢保治さんに会いに行き、それ以降、私たち家族と平沢さんとの交流は続いている。

私は「これだ」と確信した。茨城県の高校教師が南極で授業をする意義を見出した。「南極授業で道徳を実践する」、南極授業の構想の一つが固まった。

そして、南極は『人間も育てる』場所だという。私が最初に心を強く動かされたその言葉の意味がどういうことなのか、教師として肌で感じ、見つけた答えを南極授業で伝えようと決めた。

理科教育 ~ 探究的な学習の土台 ~

また、理科の教師である私にとって、教師としての原点はもちろん理科。

ふり返ると、私の中での理科へのめざめは、小学三年生のときだった。最初の理科の授業で、校庭に出て生きもの探しをしたことを今でも覚えている。

　私は、小枝にくっついている綿菓子のような塊を見つけた。生きものかどうかはわからなかったが、気になって教室へ持ち帰り、机の中の道具箱に入れてとっておくことにした。

　しばらく経ったある日の授業中、何気なく道具箱を開けてみると、小さくうごめく生きものが大量に出てきていた。私は予想していなかった突然の出来事に驚くのと同時に、懸命に動く生きものの姿に感動し、

「うわーー」

と授業中にもかかわらず、思わず大きな声を出してしまった。

　すると一瞬、教室がシーンとなり、私は我に返った。先生に怒られる、そう思ったときだった。

「北澤さん、どうしましたか？」と尋ねながら、担任の先生が近づいてきた。

「小さい生きものがたくさん出てきました。」

申し訳なさそうに私がそう答えると、

「これはすごい宝物を見つけたね。もっとよーく観察してごらん。」

担任の先生は笑顔でそう言った。

「小さなカマキリ？　これってカマキリの卵だったんだ！」

私がそう答えると、

「北澤さんが素敵なものを見つけました」

と先生はクラス全体に伝え、みんなで観察会となった。

　私は、目の前でうごめく生きものの命を感じながら、観察を通して気づいた「なぜ、どうして」という不思議さや、「もっと知りたい」というワクワクした気持ちを覚えた。理科を学ぶ面

白さを味わい、理科の学びが好きになった。

教師になろうと心に決めたとき、教科は理科を専門にしたいと思い、東京学芸大学の初等教員養成課程の理科選修へ入学した。そして、卒業論文に向けた研究室では迷わず生物コースを選択した。

茨城県の教師になってからは、教員指導力向上プロジェクトに応募した。ときには生徒と一緒に参加し、様々な講習や研修を積み、三年間を修了した。私はプロジェクトの経験を通して、科学部の顧問として生徒とともに試行錯誤しながら科学的な研究を進めていくことに努めた。

その中で、思い出深い出来事があった。

科学的な研究を進めていく、まずはその手始めに、生徒に顕微鏡の使い方を習得してもらおうと思い、何か小さな生きものを観察することにした。誰かに与えられた課題より、生徒自身で見つけた方が自発的になるだろうと考えた私は、「観察したいと思う、気になる生きものが見つかったら教えて」と、生徒に資料集や本を渡した。

生徒たちは各自で調べ始め、話し合っていた。すると、生徒たちは「先生、気になる生きものを見つけました」と興奮気味でとても嬉しそうに、クマムシに関するコラムを私に紹介してきた。

「先生、クマムシってすごいです。世界最強の生物とも言われているみたいです。」

私が「見てみたい？」と聞くと、

「もちろん。でも、見られるんですか？」

生徒は即答だった。私は、

「クマムシはどこに生息しているか調べてみてごらん。」

私は自分のクマムシに関する本を渡し、生徒に新たな課題を提案した。生徒たちはすぐに本やインターネットを使って調べ出し、

「コケにいるみたいだ。めっちゃ身近にいるよ。早速、探しに行ってみたいんですが」

と、次は生徒たちの方から新たな提案をし始めた。

「もちろん。どんどんチャレンジしてみよう。」

私は生徒たちがフィールドワークへ勢いよく飛び出す背中を見守っていた。探究心をもって、生徒たちが自ら動き出していこうとする始まりの瞬間だった。

生徒たちはコケを採集すると、今度はクマムシを採集するための装置を作り始めた。

私も生徒と一緒に考え、失敗を繰り返し、試行錯誤に創意工夫を重ね、どうにか手作りのクマムシ採集装置を作り出した。そして、生徒は採集物から何枚ものプレパラートを作成し、何度も顕微鏡を覗いては、「いない」「これもダメ」と言いながら懸命にクマムシの姿を探していた。

数日後、生徒が猛ダッシュで私のところへ駆け寄ってきて、

「先生！　これ、これがクマムシですか？　顕微鏡、見てください」

と私は腕を引っ張られ、急ぎ足で連れていかれた。顕微鏡を覗くと、

「おっ、おみごと！　これはクマムシですね。すごい、やったね！」

私は生徒たちとハイタッチし、一緒になって喜びを分かち合った。

「クマムシが動いているよ。足、何本あるのかな。」

「クマムシの中に見える、この丸いのって、なんだろう。」

「もっと見ていたいな。ミクロの世界の中でも、命を感じるね。」

目の前で動くクマムシに引きつけられ、生徒たちはじっくりと観察し続けていた。そして、何や

ら話し合いが始まり、何かを決心した様子で私のもとに集合した。

「先生、私たち、このクマムシのことをもっと知りたい。クマムシを研究テーマにしたいです。」

生徒たちは目を輝かせながら、しっかりとした言葉でまっすぐに思いを伝えてきた。

生徒たちの姿を見て、自分自身が小学校三年生のときに抱いた感情がよみがえった。

生徒たちは日々、どんどん知りたいことや調べたいことが増えていき、生徒たち自身で世界観を広げようと行動し、自主的に研究に励んでいく。

そんな生徒たちを見守りながら、私は研究発表の機会を提案した。生徒たちは成果を発表したい気持ちはあるものの、自分たちにできるのか悩んでいる様子だった。どちらかというと口数が多い方ではない寡黙な生徒たち、大勢の前で話すことを想像するだけでも緊張してしまっているようだった。

「みんなが見つけたクマムシの魅力。せっかくだからいろんな人にも知ってもらって、分かち合えたら素敵だと思うよ。研究発表の場って魅力を共有できる機会でもあると思うよ。」

そう話すと、

「クマムシの魅力、伝えたい。多くの人に知ってもらいたいし、頑張ってみたい。」

生徒たちは胸を張って、前をしっかりと見つめた眼差しを向けてくれた。生徒たちは本気だった。

そして、クマムシに関する研究成果をポスターにまとめて研究発表大会へ出場した。何度も何度も発表練習を重ねて本番に臨んだ。本番のポスター発表では、生徒たちは一生懸命に研究者の方々へ説明していた。頑張る生徒の表情は、とても嬉しそうで楽しそうだった。

私は生徒が変容する姿、その瞬間を目の当たりにした。教育は、生徒が持っている力や可能性を引き出すことができる。私は、教育の魅力やすばらしさを実感した。また、理科教師としての在り方を生徒が気づかせてくれた。

ワクワクする知的好奇心、もっと知りたい探究心は学びの土台である。

知識を習得するだけでなく、学びを深めたり広げたりするために観察や実験などを通して、疑問を持ち、自ら調べたり、協働しながら解決していく過程で体系化した知識になっていく。

このことはまさに、「探究的な学び」だと思った。社会で生きていくのに求められる力として、探究する力の育成が叫ばれているが、その学びの土台となるのが、知的好奇心と探究心であると私は考える。

そして、知的好奇心と探究心を育む、きっかけや導入となるのが「本物・実物との出会い」だ。私や生徒たちがそうであったように、本物・実物との出会いを通して、物事への気づきや自らの課題が生まれていく。


私は南極授業でもこのことを大事にしたいと思い、南極の本物・実物を教材に取り入れたいと考えた。また、ライブ中継ならではの魅力、現地だからこそできることを考えた。そこから、「南極の生きものの生きたままの姿を観察してもらいたい」

南極授業の構想のもう一つが固まった。

私は南極授業を、理科と道徳と二つのテーマをもって展開していこうと決めた。

出発前の準備 ～飼育装置を自作～

極地研で行われた打ち合わせにて、私は南極の生きものを生きたままの姿で観察する南極授業にしたいとプレゼンした。私の提案を聞いた熊谷副隊長は少し考え込んだ後、真剣な表情で話し始めた。

「今まで、教員派遣で南極へ行った先生の中で誰もやったことはないな。困難であることは確かだ……。ただ、ダメと言っているわけではない。実現性に関して困難があると言っている。その困難に対して、どう対策、対応するかを具体的に考えて、実現性を高めていくことは可能。ダメだと諦めることは簡単。どうしたらできるか、それを考える方が楽しいし、面白くなる。悩んだときは、いろいろな人や仲間に頼って相談したらいい。一人じゃない、仲間がいるのだから。多様なアイディアを求め、協力をお願いする。仲間ってそういうものじゃない？お互いさま。」

熊谷副隊長は、一つ一つ丁寧に話してくれた。私は頷きながら、その言葉を心に刻んでいった。

そして、決意が固まった。

「生きたままの姿を観察する南極授業に、挑戦します。」

私の宣言に、副隊長は大きく頷いた。

私は早速、六一次隊の仲間の一人でもある極地研広報室の寺村隊員に相談した。

「南極海の生きものを生きたまま採取し、昭和基地で飼育するにはどうしたらよいのか。」

南極に行ったこともない私には、どこでどうしたらよいのかまったく想像がつかず、実現性を高めるためのアイディアを求めた。寺村さんは内容を聞くと、前次隊である六〇次隊で昭和基地沖で魚を採取していた観測チームがいたということを教えてくれた。

私は勇気を出して、そのチームのメンバーに連絡した。

本音を言うと、連絡してよいのかすごく悩んだ。会ったことも話したこともない私が突然連絡してもよいのだろうか、しかもアドバイスが欲しいという一方的なお願いだ。だが、熊谷副隊長の言葉を思い出し、私は必死の覚悟で緊張しながら連絡をした。

早々に返事が届いた。

「子どもたちに動いている生きものの姿を観察してもらえたら、すごく素敵ですね！南極授業がぜひ、成功してほしいと思います。なんでも聞いてください。」

とても温かく受け入れていただいた。

六〇次隊での観測のことや準備のことなど惜しみなく、詳しく丁寧に教えてくれた。忙しい中にもかかわらず何度も何度もやり取りを重ね、相談に乗ってくれた。

私はいただいた資料をもとに、電器店やホームセンターに通い詰めて同じような品物がないか探し歩いたり、インターネットで調べたり、一つ一つ地道に情報収集していった。

誰もやったことのない、前例のないことに挑戦するということに、不安がないと言ったら嘘になるが、理解して応援してくれる人たちがいると思うと心が強くなれた。知り合いで

もない私の思いに共感し、一緒になって真剣に考えてくれた、観測隊に流れる心意気というものを私は強く実感した。

そして、六〇次隊の方から「がんばって！　成功を祈ってます」の応援メッセージとともに、次のような激励の言葉をいただいた。

南極では新たに物を買えない、だから何度も何度も入念に準備をして臨む。しかし、過酷な環境である南極では、予期せず想定外のことが起こることも多々あるだろう。そのとき、発想を転換することも大切で、考え方次第で可能性は無限大に広がるはずだと思う。できないと考えて諦めるより、今あるこの状況下でどうしたらいいか、何かできることはあるんじゃないか、どうすればできるのかを考えることが、南極という現場では特に重要だと思っている。それが突破口を開くことにつながるかもしれないからね。それと、仲間がいることを忘れないでね。生徒たちに生きたままの姿を観察してほしいという北澤先生の思いも、みんなきっと理解してくれるはずだから。北澤先生の南極授業、私も楽しみだな、応援しています。

私は相変わらず、魚を採取する道具や昭和基地で飼育する装置の準備に追われていた。この頃、九月も下旬に入り、「しらせ」へ積み込む荷物の一覧表の提出が迫っていた。六〇次隊で使っていた物と同じ物が見つかれば注文し、取り寄せた。

準備を進める中で特に自分なりに工夫したことは、どのように水温を保って魚を飼育していくかの方法だ。南極海に生息する魚を飼育するには、水温をマイナス一℃からプラス一℃の範囲で保ち続けることが重要だと聞いた。そのために、どうするか……。船に持ち込み、昭和基地まで運ばなければならないので、割れやすいガラス製の水槽では破損の危険性がある。また、大がかりな物では場所を取ってしまうし、持ち運びにくい。それに、飼育するのによさそうな場所を見つけたとしても、その近くに電源を入れるためのコンセントがあるかどうかはわからない。どうしたものか……。

私は、夏に観測隊の地質チームの訓練に参加したときのことを思い出した。訓練の帰りに、チームのみんなで向かったのはホームセンターだった。ホームセンターでは、「これは、こんな使い方もできないかな？」「もっとこうしてみたらいいかも！」などと考えを出し合いながら、応用できそうな資材をみんなで探し歩いた。市販されている観測器具を南極での活動でうまくいくように、自ら工夫して改良できないか考えるためだった。

訓練で観測が思うようにうまくいかなかったとき、ダメだと諦めることは決してしない集団だった。どうしたらできるようになるか、第一にそのことを考える人たちだった。私もチームの皆さんと一緒に行動していく中で、その考え方が身についていった。

水温を保ち続けながら飼育するのに、どうにかできないか、何かいいアイディアはないかと、私は常に考えを巡らせていた。

ある日の昼食時、店員さんが学校にお弁当を届けてくれた姿を目にし、はっとした。

「そうか！　銀色の大きなバッグ。あれなら水温を保てるかもしれない。」

私はすぐに飼育に使うバケツが入るサイズの保温バッグを探した。調べてみると、業者用の大きなものが見つかったが、個人購入には対応しておらず、業者向けの販売しかなかった。ここで諦めるわけにはいかないと思い、販売会社に相談し、なんとか注文を通してもらい、購入することができた。

届いてみると、軽くて持ち運びしやすく割れて破損する心配もない。だが、保温バッグだけで水温を一定範囲に保ち続けられるか不安を覚え、断熱材も探すことにした。私はホームセンターに通い詰め、店員さんに断熱材の素材や特徴を聞き込んだ。はじめ、店員さんは「家か何かを建てるのですか?」と不思議そうな顔をしていたが、無理もない。女性一人で、施工用の断熱材を必死に探し求めているのだから、誰が見ても不思議な光景だ。店員さんと相談した結果、熱を伝えにくく、水を吸収しにくく、加工が簡単で軽くて丈夫、それに環境や健康にも配慮された建築資材用の断熱材を探し出した。だが、保温バッグにピッタリの大きさのものはなく、二畳ほどある大きさのまま購入するしかなかった。自分の車になんとかギリギリ積み込んで持ち帰った。

「よし、自分で作る他ない!」

私は設計図を描き上げると、それを駐車場に広げ、カッターを使って断熱材を目的のサイズに切り出した。

そして、折りたためる仕様にすることで割れて壊れにくくなるように工夫した。DIYの経験なんて皆無だったが、このときの私に「できない」と諦める選択肢はなかった。悪戦苦闘しながら作り上げ、なんとか保温セットを完成することができた。

準備しなくてはいけないものはまだまだあった。生きたまま採取するために重要なアイテムである釣り道具。これも釣具店に通い詰め、店員さんと相談しながら決めていった。なんとか買い揃えられたが、「しらせ」への積み込み期限寸前になってしまい、釣りの練習はできていないまま積み込むしかなかった。リールに糸も巻けていない状態……。私は不安をぬぐい去るように、初めて釣りをする人向けの教本を読み込み、イメージトレーニングを重ねた。

「しらせ」船内～チーム南極授業、結成～

自作した飼育装置などの荷物の積み込みは無事に完了し、「しらせ」は出港していった。私たち観測隊は出港を見送った約二週間後、オーストラリアで「しらせ」に再会した。

乗船すると、私は急いで荷物を積み込んだ船室に向かった。飼育装置の状態を確認し、ほっとした。どこにも破損はなかった。私は航海の揺れに備えて、装置を念入りに保定《ほてい》した。そして、準備をしようと釣り竿を取り出した。

私は海洋観測の合間に、船内の観測隊公室で釣り竿を広げて格闘していた。リールに糸を巻きたいのだが、まったくうまくいかなかった。実は、今まで魚釣りをしたのは川で数回だけで、釣り竿は一緒に行った友人のものを借りた。一人で釣り竿を組み立てたことも、リールに糸を巻いたこともなかった。

釣りの教本を開いて悪戦苦闘している私の姿を見て、隊員の一人が声をかけてくれた。

「おっ、釣りか。それなら任せて。昔、漁船に乗っていたこともあるから。」

何とも頼もしい声だった。「頼ってもいいんだ」という副隊長の言葉を思い出し、

「ありがとうございます。全然わからなくて、教えてください。」

「もちろん！　よし、はじめよう。」

それから夕食前に観測隊公室で日々、釣り教室が開講された。

釣りについて道具を使っていろいろと教えていただきながら、私は南極授業への思いを話した。

「生きている姿を観察する、すごくいい。そのための釣りなんだね。そりゃ大事だ。よし、成功させよう。力になるから、なんでも言ってね」

と言ってくれた。

だんだんと隊員の皆さんも釣り教室に集まってくるようになり、釣り経験がある隊員や以前に南極で釣りをしたことがある隊員もいろいろとアドバイスをくれた。

私は、「もちろん」と言いながら惜しみなく協力してくれる隊員の姿から、頑張ってと声をかけるだけではなく、決して他人事にせず、ともに考えて行動し、思いを共有しようとする心を感じた。


往路の「しらせ」船内では、昭和基地への到着に先立ち、南極授業の打ち合わせが始まった。昭和基地に着いてからでは、それぞれの仕事で忙しくなってしまい、なかなか時間が取れない。それでなくても、六一次隊は例年より昭和基地の滞在期間が短く、スケジュールが詰まっている。比較的時間が合わせやすい往路の船内で、打ち合わせを早くに始めようということになった。

学校の授業は教室で先生が一人で行うが、南極授業はそうはいかない。日本と衛星回線をつないでライブ中継で南極授業をするということは、そう簡単な話ではないのだ。

衛星回線を安定的につなぐ担当、カメラを持って映す担当、私の移動に応じて長い電源コードを巻きながら歩く担当、タイムキーパー担当、進行状況をみながら全体に指示出しをする担当、教材や資料を私に受け渡しする担当など。多くの隊員の協力を得て、はじめて南極授業を実施することができる。しかも、隊員それぞれ専門とする仕事の任務を遂行しながら、それとは別に南極授業のために時間を割いて協力してくれるのだ。

私は船内で隊員の皆さんに南極授業への協力のお願いに回った。隊員の船室にノックをして、

「南極授業で……」

と、私が話し出そうとすると、

「ＯＫ、ＯＫ！　南極授業、協力させていただきます！

　できることがあったら、遠慮なく言ってくださいね。楽しく頑張りましょう。」

ありがたいことに、隊員の皆さんの方から声をかけてくれたりもした。そして、チーム南極授業が結成した。広報隊員の寺村さんが総監督として決まり、チーム南極授業が本格始動した。

　往路の「しらせ」船内では、昭和基地に着いてからのスケジュールを確認し、基地での打ち合わせやリハーサルの日程を決め、南極授業での準備物などについて話し合った。また、屋外から中継をスタートして子どもたちに昭和基地を感じてほしいという私の思いに共感してくれ、天候良好バージョンと悪天候バージョンと二通りの授業構成についてチームのみんなで意見を出し合った。その他にもチームで話し合いを重ねていった。

熱い議論、涙も……

　昭和基地に着いてからは、各自専門の仕事と掛け持ちしながら総勢一三名が一丸となって準備を進め、熱い議論を重ねるなど汗と涙と笑顔の日々だった。

　到着後しばらくの間は、チーム南極授業のメンバーはそれぞれが担う専門の仕事に従事した。私はいろいろな観測に同行したり、建築や設営作業に加わったりと様々な経験を積み重ねていっ

た。経験すればするほど、生徒たちに伝えたいことが増えていった。……しかし、中継時間の枠組みに収めなければならない。伝えたいことを絞る、そのために何かを削らなければならないのだが、「せっかくの南極授業、どれも削りたくない」と私の心中は葛藤の渦だった。

南極授業では、どのような説明をどのタイミングで話すか、それは何分かかるかなど、授業のセリフやメンバーの動きに至るまで細かく授業の展開を記した台本作りが必須となる。いわば指導案のように思えるが、その事細かさが段違いだ。授業の中で映像を流すという展開一つをとっても、全体の時間を考慮しながら、自分で編集して何分何秒を使うと明記しなければならない。普段の学校では、当初の計画から多少ずれがあっても、一人で授業をしているので自分の中で確認しながら修正することはできるが、日本と南極を衛星回線でつないで何十人ものスタッフが連携しながら授業が進められていくため、情報共有が要となってくる。

その要である南極授業の台本作りも、私に与えられた任務の一つだ。

本番に向けて準備を進めていく中で、自分の不甲斐なさを痛感して大泣きしてしまったこともあった。

私は日中、観測隊の各チームに同行して観測や設営の作業に参加し、夕食後に眠気と闘いながら南極授業の台本を書いていた。なかなか思うように進まず、「授業日までに仕上げられるだろうか……」と私は心の内で不安に襲われ、とても焦っていた頃があった。

そんな心境で臨んだ、南極授業チームでの打ち合わせのときだった。

今回の打ち合わせでは、始まりから終わりまで授業展開や授業者である私のセリフの内容をチームみんなで共有することが目的だった。

打ち合わせが進む中で、まず私のセリフの内容について、熱い議論となった。

授業の中で、私は往路の「しらせ」船上で行ったプランクトン採集のモニタリング観測に関して、全員参加型のクイズを出題しようと思い、アイディアを伝えた。熱い議論となったのは、正解を発表した後の解説のセリフだ。科学的な本質を保ったまま、難しい用語は使わずに、子どもたちにもわかりやすい説明にするにはどうしたらいいか、私はすごく悩んでいた。チームみんなに相談すると、

「この説明では、子どもたちが勘違いしてしまうかも。」

「では、こんな説明はどうかな？」

「この部分は理論的に飛躍し過ぎているかも。」

「難しい用語をどのように言い換えたらいいか考えてみるね。」

などの意見が飛び交い、議論はやまなかった。曖昧にせず妥協を許さないメンバーたち。

わかりやすく説明するには、深い理解が必要だと、私は切に実感した。熱い議論を重ねて、簡潔かつ正確で難しい用語は使わずに説明するセリフがなんとか完成した。

この日の打ち合わせの後半では、授業進行中の各メンバーの立ち回りについて質問が飛び交った。

「北澤先生は、ここのアングルは具体的にどうしたいと考えていますか？」

「一九広場での動きのイメージを教えてほしいです。」

「ここまでで、時間は何分かかる見込みですか？」

など、私はそれぞれの担当者から細かな授業展開の説明を求められた。みんなが南極授業を成功させるために真剣だった。

それなのに私は、みんなからの質問に、しっかりと答えることができなかった。きっちりと確立したプランニングができていない自分の不甲斐なさを痛感した。忙しい合間を縫って集まってくれていて、南極授業を成功させようというみんなの真剣な思いを感じながら、私は申し訳ない気持ちでいっぱいだった。

昼食の時間になり、みんなは食堂へ向かった。私はチームみんなからの意見を忘れないうちにメモするため、

「ちょっと残ってから行きます」

と言って、部屋に一人残った。そのとき、涙が溢れてきた。

「私がしっかりしなければ……。協力してくれる仲間が困ってしまう……。」

泣いても解決するわけではない。そんなことはわかっていたが、どうしようもなく涙が溢れた。

「ホワイトボードに貼られている名札を裏返さなくちゃ……。お昼の人員確認ができずに、当直担当に余計に迷惑をかけてしまう……。」

そう思い、私は少し感情が落ち着くのを待って、食堂に向かった。

「北澤先生、こっちこっち。」

チーム南極授業の寺村総監督の声が聞こえた。私の分を準備して、食べずに待っていてくれたのだった。みんなの温かさが心に沁みて、今度は嬉し涙が止まらなかった。この日の昼食はカレーだった。涙を流しながら食べたカレーも、とてもおいしかった。私はこの金曜の日のことを決して忘れない。

「しっかりしなきゃ。」

各担当の動きもイメージしながら、台本を仕上げていった。

私は、熱い議論にもなった南極海のプランクトンに関して、口頭での説明に加え、イラストを用いて動かしながら図示することで視覚的にもイメージできて、子どもたちの理解を促すことができるのではないかと考えた。そこで、チームの仲間に提案したところ、「プランクトンのイラストなら任せて」と、何枚も大きく絵を描いてくれた。南極授業では、仲間と手作りしたオリジナルの教材がたくさん登場した。

チームで話し合いをしているとき、スライドの映像とともに授業者である私の顔もスクリーンに一緒に映っていた方が、普段の教室で受けているような授業感が出るといった意見が挙がった。だが、昭和基地には電子黒板のようなものはない。カメラに映像も私もおさめるにはどうしたらいいのか悩んでいた。

「北澤先生、これ使うのどうかな？　もしよかったら使って」

と言って、仲間の一人が自分のタブレットを南極授業のために貸してくれた。しかも、観測についてわかりやすいスライドも作ってくれた。

南極授業の終盤では六一次隊と六〇次越冬隊のメンバーを顔写真とともに紹介するエンディングロールを流したいと思っていたが、ゼロからつくりあげなければならない。そのことをチームに相談すると、

「せっかくの素敵なアイディア、大変だからって諦めるのはもったいない。私、つくります」

と、忙しい合間を縫って映像を制作してくれた。

やっとの思いで完成したエンディングロールに急遽、音楽もつけようということになったのだが、……音源がなかった。日本にいたら、インターネットで音源のダウンロードは簡単にできてしまうだろうが、地球の果ての南極、昭和基地ではそう簡単にはいかない。幸い、昭和基地にもインターネットはつながっているが、その速度は、たまらなく遅い。画像やスタンプなんて一つでも送ろうとしようものなら、ずっとクルクルと回った表示が出たままフリーズしてしまう。もし、音楽をダウンロードしようとしたら……、果てしない時間がかかるだろう。その間、パソコンは使えなくなってしまう。どうしたものかとチームのみんなで、食堂で話し合っているとき、

「話が聞こえてきて。もし、よかったら、僕のパソコンを使っても大丈夫ですよ。」

気象隊員がパソコンを差し出し、ダウンロードを開始してくれた。

二分ほどの長さの音楽を、丸一日中かかって、ようやくダウンロードに成功した。そして、本番前の接続試験や授業の予行練習も無事に終えることができた。

こうして、『南極授業』は多くの人の力で一つ一つ築き上げられていった。

初！　昭和基地で魚の飼育に挑戦

いよいよ私は南極海の生きものを生きたまま採取するため、海氷観測チームとともに凍った海の上から釣りに挑戦した。海氷にはあちこちにクラック（氷の割れ目）があり、海に落ちる危険性も非常に高い。互いに状況を伝え合いながら慎重に行動した。

クラックから釣り糸を垂らした。リールがどんどん回って糸は伸びていき、ピタリと止まった。海底まで到達したようだ。ちなみに、餌は日本から持参したさきイカだ。南極で魚を釣り上げた経験のある隊員から聞き、出発前に仕入れておいた。

「また、ダメか……。」

海氷の上では風が吹くと、手袋をしていても指先が凍りつきそうだった。だが、釣り竿から伝わってくるちょっとした微動でも感じ取れるよう、寒さに耐えて神経を集中させた。

「また、ダメかも。」

そう思いながら、リールを回して糸を手繰り寄せると……、

「あっ、いるー！」

私は思わず大声で叫んだ。その声が海氷上に響き渡り、隊員たちが駆け寄ってきてくれた。

「おー、いるいる。」

何度も挑戦し、やっとの思いで魚を釣り上げることができた。喜びの感情に浸っている暇はない。

気温は氷点下なので、魚は釣り上げると数秒で凍ってしまう。仲間が海水を入れたバケツを持っ

氷の裂け目から魚の釣り上げに成功

てスタンバイしてくれていた。私は大慌てで、その中へ入れた。仲間と恐る恐る覗き込むと、

「うん、間に合った。」

凍っていなかった。生きたまま魚を採取することができた。その後、二匹釣り上げ、合計で三匹の魚を生きたまま採取することに成功した。


そして、ここからが真の挑戦の始まりだった。

南極の昭和基地で、魚を生きたまま飼育し続けること。

今までの教員派遣で前例はなく、私が初めての挑戦者となった。

六〇次越冬隊の方とも相談し、魚の飼育場所には環境科学棟という建物に隣接している倉庫がよいだろうということになった。木造で高床式の構造になっていて、人の出入りも頻繁ではないので室内の温度や湿度を一定に保ちやすそうだったからだ。

環境科学棟は第一五次隊で建設されたが、基地機能の長期的な整備計画に従って、第六二次隊で解体された。私にとって思い出の場所だったので、国立極地研究所の観測隊ブログで更地になった様子を見たときは、切ない気持ちになった。


南極での飼育は予想外のことばかりだった。

海なのだから、海水はいくらでも手に入ると私は思っていた。しかし、ここは南極、海は一面凍っていて、「海水がない！」。液体での海水の確保が一番大変だった。隊員の協力で、「しらせ」のくみ上げポンプから海水をボトルに詰めて昭和基地まで届けてくれた。こうしてなんとか海水も得ることができた。

水温はマイナス一〜プラス一℃を保ち続けなければならない。ここは南極、氷は豊富にある。大きな保温バッグにバケツを二つセットし、それぞれに魚を分けて入れた。そして、目的の水温になるようにバケツの周りに氷を敷き詰め、氷の量を加減しながら水温を保った。

環境科学棟へ毎日数回、定期的に通って魚の様子を見に行き、水質や水温等の管理に努めた。毎日、見ていると自然と愛着がわいてくる。魚たちの表情はとても愛らしかった。

私が昭和基地を離れて、泊まり込みで野外調査に同行した際は、

「お魚さんのお世話、任せといて」

と、船室の相方の野口さんが快く引き受けてくれた。

数日間の予定で野外調査に同行したとき、一日目の夕方に天候が悪化して猛吹雪になってしまったことがあった。その夜の定時交信で、私はある決断を迫られた。

定時交信とは、毎夜、決まった時刻に、昭和基地を離れて野外活動に出ているチームと基地にある通信室（昭和通信）とで行う無線交信のことである。野外から定時交信を開始するときは、チーム全員が一カ所に集まって行い、人員や装備、雪上車の異常の有無などを報告する。昭和通信からは気象情報や近況報告などが伝えられる。野外に出ていると、見渡す限り広がる自然の中に自分たちしかいないような、取り残されたようにすら感じるときがあった。定時交信で昭和通信から声が聞こえると、ほっと安心し、心が落ち着いた。

野外チームのチーフが無線交信で人員や装備などの異常がないことを伝えた。すると、

「北澤先生、いる？」

　私の名が呼ばれた。私はビックリしてドキドキしながら無線機のマイクを取り、交信を始めた。

　無線から聞こえた内容は次のようなことだった。翌日は天候が回復しそうだが、その後はまた悪化する可能性がある。そうなると、天候次第ではヘリコプターが飛べないので迎えに行けなくなる。その場合、私が昭和基地へ戻ってくる日程が、さらに延びてしまう可能性もあるということだった。

そして、

「北澤先生。明日、帰りますか？　それとも、残りますか？」

と、聞かれた。「私が決めていいの？」とも思ったが、私の意見を聞かれているのだから、「考えて決断しなきゃ」と、グッと手に力を込め、唾を飲み込んだ。

一瞬だけ目を閉じ、「私にとって最大のミッションは南極授業。その任務遂行が最優先」と心の内で呟くと、マイクの横のボタンを押しながら、

「お魚の様子が心配なので、明日、帰りたいと思います」と、緊張しながら伝えた。

翌日の天候は回復し、私はヘリコプターに乗って昭和基地に戻ることができた。ヘリポートに降り立つと、私は一目散に魚のもとへ向かった。バケツの蓋を開けて覗き込むと、尾びれを振る姿が見えた。こちらに気づいたのか、私の方に向かって泳いで水面から顔を出してきた。

「元気でよかった。」ほっとしたため息とともに、そう呟くと、

「あ、北澤先生。おかえりなさい。」

世話をしてくれていた野口さんの声が聞こえた。水温を保つために、外から氷をとって戻ってきたところだった。私はお礼を伝え、感謝の気持ちでいっぱいだった。

それから数日経った頃だった。突然、私に無線が入った。

「先生、大変です。環境科学棟のところから水が漏れているかもしれません。」

私は慌てて駆けつけると、水温を保つために保冷バッグの中に入れておいた氷が融けて、何やら床をつたって外へ、雨漏りのようにポタポタと水が垂れている状態だった。急いで保冷バッグか

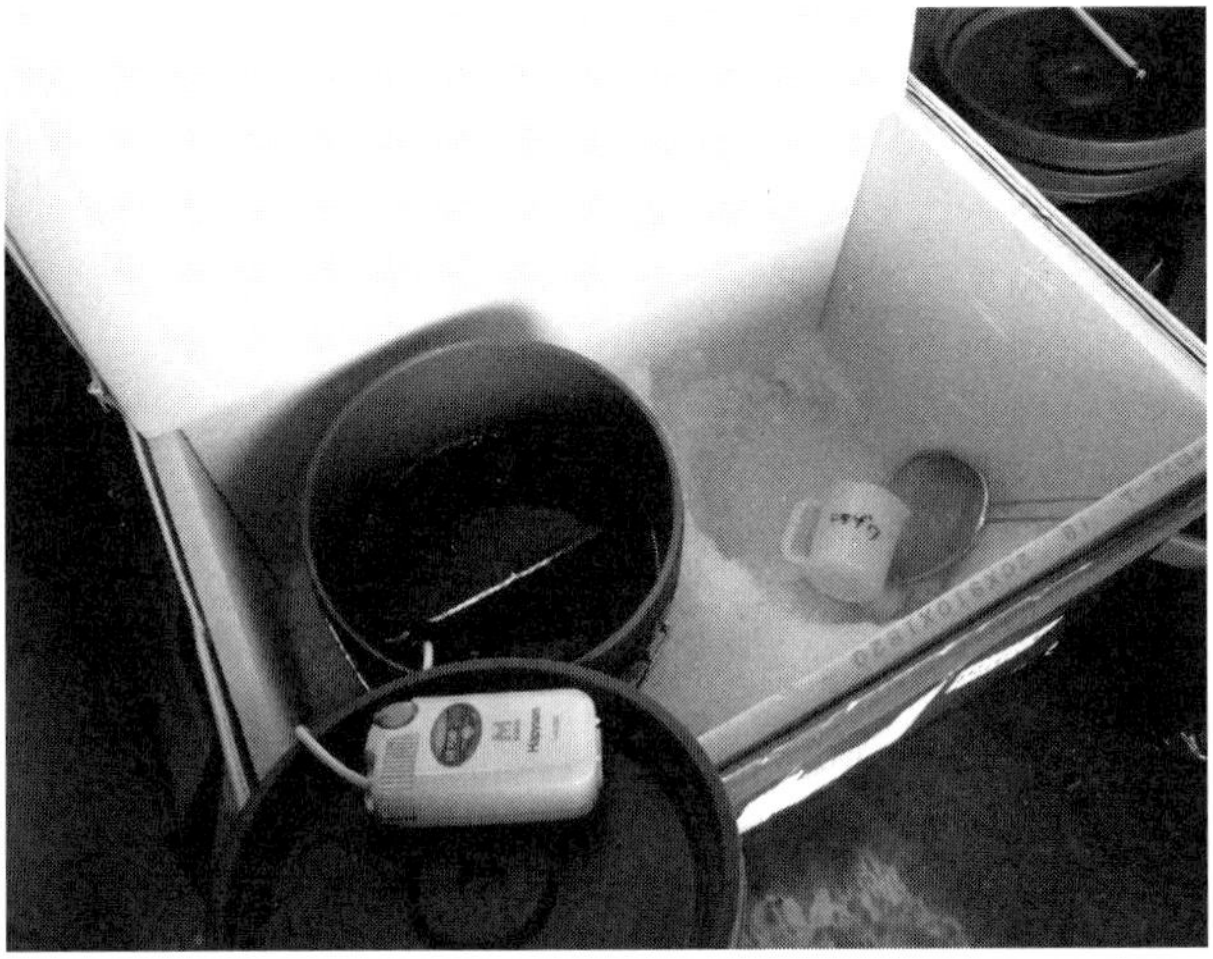

自作の飼育用具

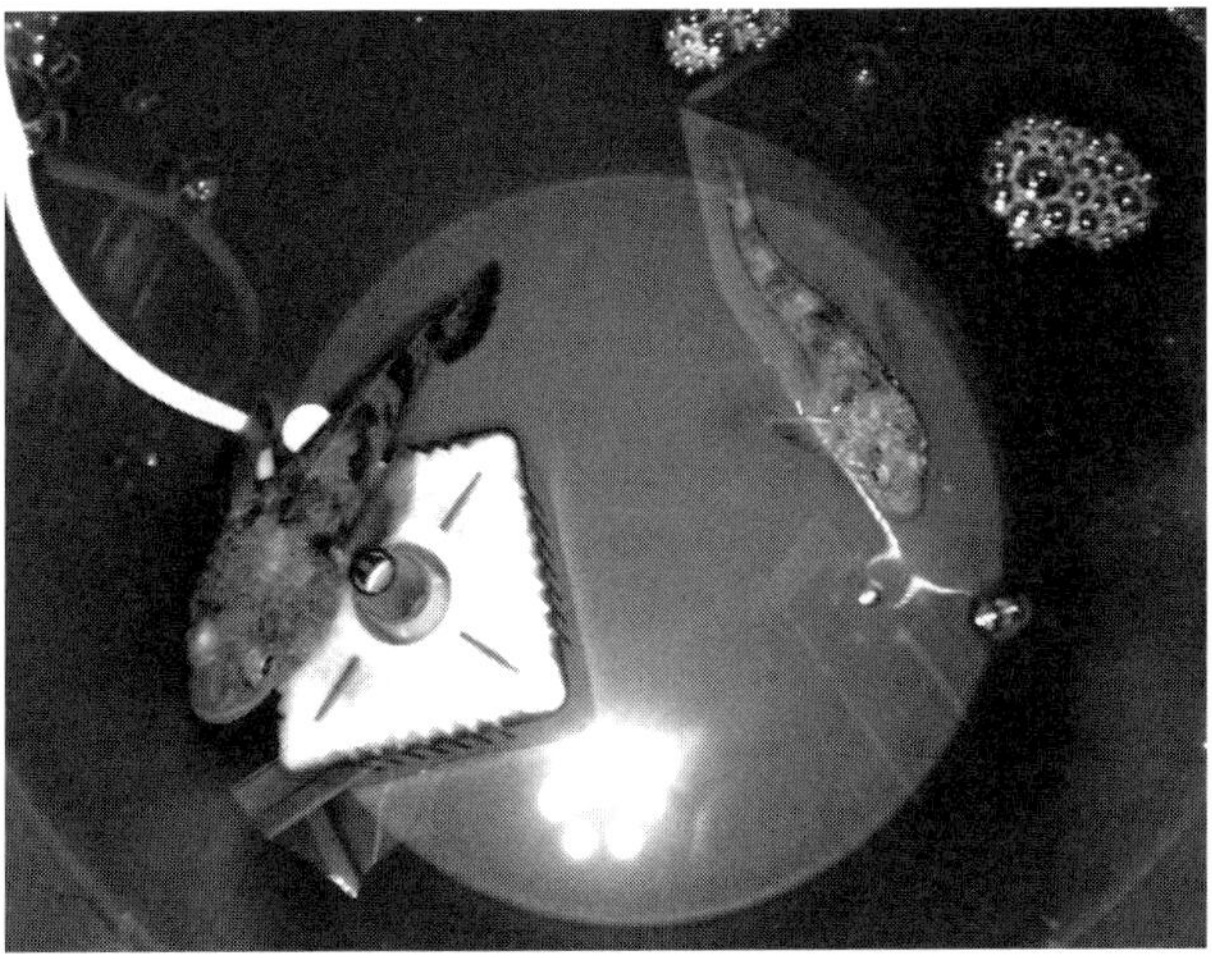

飼育中の魚たち

ら水をかき出して、氷を追加した。水温を確認すると摂氏ゼロ℃、魚の様子も大丈夫そうだった。

「すみません。水が漏れ出て床を濡らしてしまいました。」

私は建物の管理についてのご指摘だと思い、申し訳ない気持ちで無線を送った。すると、

「お魚は無事でしたか？」と返事が入った。私は、

「はい。元気そうでした」と応答すると、

「それは、よかった。もし、海水が漏れていたらと思ったら……お魚が心配で。

近くで仕事をしていたら、ポタポタと液が垂れている様子を見て、急いで無線を入れたんだ。

ごめんね、手が離せない仕事中だったから駆けつけられなくて。」

無線で教えてくれた隊員から、返事が入った。思いがけない言葉に、私の心は一気に温まった。

魚たちのことを、隊員の皆さんが気にかけ、見守ってくれていることがわかった。

本物の生きている姿を生徒たちに観察してもらいたいという思いを、隊員の皆さんも理解し懸命に協力してくれ、二十日間以上の飼育に成功することができた。

そして、南極海で採取した魚は生きたまま、南極授業本番を迎えた。

いざ、本番

今回の南極行きで私自身の最大のミッションは、『南極授業』だ。

昭和基地と茨城県を衛星回線で結び、ライブ中継で授業を行う。二〇二〇年一月二十五日にミュージアムパーク茨城県自然博物館、一月二十七日に勤務校である守谷高校とで実施した。授業

の前半は理科、後半は道徳と二つのテーマで展開した。

日本と昭和基地は六時間の時差があり、日本時間の一四時三〇分の開始に合わせ、両日とも昭和基地では八時三〇分に授業の中継をスタートした。昭和基地では両日とも天候にも恵まれ、屋外の一九広場からライブ授業を始めることができた。一番の撮影映えスポットである一九広場は、昭和基地の主要部である管理棟の目の前に位置する。

私は広場にセットした大きな温度計の横に立ち、昭和基地の現在の気温を伝えた。

「ただいま、二℃ですね。今日はとっても暖かいです」と話すと、

「えー！　二℃であったかいの⁉」

一斉に会場がどよめいたそうだ。南半球にある南極では日本と季節が反対で、私が訪れたときはちょうど真夏で、南極の一年の中では暖かい時期だった。

実はこのとき、私は日本での会場の様子を見ることができていなかった。屋外にはモニターがなく、会場の音声もはっきりとは聞こえていなかった。

「会場にはどれくらいの人が来てくれているんだろうか……。一体どんな雰囲気なのだろうか……。」

19 広場から南極授業スタート／画像提供：国立極地研究所

と内心、とても不安だった。

真夏でも、昭和基地周辺の海域は一面が氷で覆われた白い海が広がっていて、一九広場からは停泊している南極観測船「しらせ」が見える。「しらせ」を紹介し、スクリーンに「しらせ」の姿が映ったときは「おおーっ」と観客席から歓声が上がったそうだ。

一九広場に現存している第一次隊で建設されたプレハブ構造の建物である「旧主屋棟」も紹介した。

一九五七年の第一次南極地域観測隊によって建設された貴重な歴史的建造物だ。塗装が一部剥がれたりしているところもあるが、当時のままの姿で六十年以上経った今でも、しっかりと建っており、現在は倉庫として現役で活躍している。

中継をスタートした一九広場の周囲をグルっと映し、私は少し歩きながら昭和基地について紹介していった。近くでは朝早くから建設で働いていた隊員や海上自衛隊の皆さんが授業に合わせてスタンバイしてくれていて、カメラに向かって大きく手を振ってくれた。「ここが基地内で最新の建物である基本観測棟です」と、そこにつながる放球デッキの建設現場も伝えた。

一九広場の周辺を一通り紹介し終えた後は、南極授業のメイン会場となる管理棟の内部へ案内していった。管理棟の中に入るときは一連のお決まりの作法があるのを、私が実践しながら伝えた。

まず靴を脱ぐときは、水の入っているタライの中に履いている長靴ごと脚を入れてジャブジャブと汚れを必ず落としてから脱ぐことになっていて、被っていたヘルメットは隊員それぞれ指定された場所に引っ掛けるなどの決まりだ。

管理棟の中に入り、授業のメイン会場である食堂に向かって廊下を進もうとしたときだった。突然、私に無線が入った。

「北澤先生、北澤先生、聞こえますか。どうぞ」

「こちら北澤です。どうぞ」

「食堂まで来ていただけますか。どうぞ」

「はい、了解しました。どうぞ」

無線通信の重要性を伝えるために考えておいたサプライズ演出だった。

南極では携帯電話を使用することができない。一人一人が肌身離さず無線機を常時携帯する義務がある。そのことについて、実際に連絡を取り合う様子を通して伝えた。また、無線機で連絡が取れなくなることは遭難とみなされ、隊全体で捜索にあたることとも伝えた。

中継に合わせて無線を鳴らしてくれた隊員のタイミングはばっちりだった。


その後、南極大陸周辺の海域に生息する人間並みの巨大魚「ライギョダマシ」の魚拓が飾られた廊下を進んだ。食堂の階下には、「バー昭和基地」と言われるコーナーやビリヤードなどができる娯楽スペースがあり、南極で長い間生活する隊員たちがリラックスできる空間となっている。

南極授業にて無線通信をしているときの様子

食堂へつながる階段を上ると、踊り場には食事のメニューが書かれた黒板が置かれていた。ちなみに、一月二十五日、土曜日の昭和基地の昼食は「ほいこーろー」。

階段を上り切った先にある食堂に入ると、南極授業のために詰め掛けてくれた多くの隊員が手を振り、笑顔で出迎えてくれた。


私は、食堂の一角に作った南極授業用のセットに置かれた椅子に座った。設置されたモニターに目を向けると、参加者で会場が満杯になっている光景が飛び込んできた。スクリーンに映る私の様子を見ながら、手を振ってくれていた。

「皆さん、こんにちは。改めまして、北澤です。ようやくモニターで皆さんを見ることができました。たくさん来場されていて、びっくりしています。」

私は挨拶をし、自己紹介をした。まず、はじめに南極は地球のどこにあるのかを地球儀で確認し、ラミング航行など「しらせ」での航海の様子を伝えながら、どのように日本から南極へたどり着いたのか、その道のりを説明した。

そして、昭和基地沖の海氷上での海洋観測の様子について写真を交えながら伝え、観測中に近づいてくるペンギンを紹介した。

次に、今回の南極授業の一番のメインである「南極の生きもの観察」へつなげた。

私が網でバケツから生きものをすくい上げると、

「わー！」

「お魚さんだ！　南極で生きているんだね。」

「本物だ、動いているー！」

「元気がいっぱい。すごい！　生きている！」
など、南極海の魚が登場すると会場から大きな歓声が上がった。子どもたちからの感想の声が昭和基地の食堂に集まっていた隊員の皆さんにも届いた。

このとき私は、「生きたままの姿を届けたい」とこだわってきて本当によかったと、心の底からそう思えた。やっぱり、生きものの魅力は生きて動いている様子を観察することが何よりも面白く、理屈ぬきで引きつけられ、知的好奇心が刺激されて探究心が高まりワクワクする。私は、今まさにライブ中継で遠く離れた南極の昭和基地と茨城県の会場がつながって、同じ気持ちを共有できたことに感激していた。

海水が入っているバケツからすくい上げた瞬間、魚は勢いよく体や尾をくねらせ、私にも水しぶきがビチャっと飛び散るほどだった。私は慌てながらも慎重に、海水が注がれた透明のガラスの中へ魚を入れた。

一九広場からの中継時に映した氷が張った昭和基地沖の南極海に生息している魚で、チームの仲間と協力して採取できた魚だった。国内での準備から、昭和基地で悪戦苦闘しながら飼育してきたことなど、今までのことが一瞬で思い出された。

「お魚さんも、頑張ってくれてありがとう。」そう思いながら授業を続けた。

ここからは、生きた魚の観察タイム。

会場の子どもたちは、南極海の魚を生きたままの姿で観察し、

南極授業にてスライドやスケッチブックを活用

どんなことに気づいたかなどの観察結果を発表してもらった。子どもたちからは、「色は茶色」「フグに似ている形」との内容が挙がった。私は、魚の眼の位置など観察のポイントを伝えながら、

「南極海のどこに住んでいるかな？　海の表面かな？　海底かな？　眼の位置から考えてみよう」

と尋ねると、

「上を見ている感じがする」

「なるほど、海底かも！」

と会場の子どもたちからの考察が返ってきた。


生きものを観察した後、私は「魚たちが住む海の表面は海氷で覆われているけれど、海氷の下の海はどんな様子なのだろう？」と会場に疑問を投げかけ、海洋観測チームの仲間が水中カメラで撮影してくれた映像を放映した。カメラが氷の下へ抜けると、

「海氷の下には、凍ってない海があるね」

「氷が割れて、落ちたら危ない」

「海の色は緑色っぽいよ」

などと会場から声が上がった。

南極授業を通して、子どもたちの南極への興味関心が高まっている様子が見て取れて、私はとても嬉しかった。約一万四千キロメートルも離れた南極と茨城県とがライブで対話しながら授業ができていることに、感動でいっぱいだった。冷静にならなければと自分に言い聞かせながら授業を進めていった。

魚の他にも、南極海に生息している生きものを知ってもらうため、私はチームで協力して、野菜干しのようなかごにロープを縛り付けたトラップを作り、海氷の割れ目から海へ垂らして仕掛けたこともあった。ところが、結果は失敗。この方法では採取できなかった。

でも、私は一人じゃない。観測隊の仲間がいる。私自身は他の観測チームに同行するため、一度しかこの試みにはチャレンジできず、失敗に終わってしまった。だが、仲間が失敗から学んで改良し、別の日に再チャレンジしてくれていた。再チャレンジしたトラップを引き上げると、海綿《かいめん》動物やホヤ、クモヒトデなどの生きものが見つかった。この仲間の協力で採取されたヒトデやウニ、ナマコなどの実物も、会場の皆さんと観察することができた。

その他にもペンギンやアザラシ、トウゾクカモメなど私が南極で出会った多くの生きものを写真や映像とともに紹介した。

そして、私は、

「冷たい氷の海である南極海に、様々な生きものたちが生息していることを目にして、私は驚きました。生きものたちは、いったいどのように生きているのか、何を食べているのかな？」

南極に生息する様々な生きものの観察を通して、南極における食物連鎖を考え、南極とは生きものたちにとってどのような存在だろうかを会場の子どもたちへ問いかけた。

答えにたどり着くヒントにしてもらおうと思い、私は全員が参加できるクイズを出題した。

「この中で、南極に一番近いものは、どれでしょう？」

と言いながら、各地点のプランクトン採取瓶を並べた写真を提示した。

オーストラリアのフリーマントル港から南極に向かう航路で、東経一一〇度ラインをまっすぐ南に進みながら五日間連続、五地点でプランクトンネットを用いた調査を行った。その採集物を入れたボトルの写真に一番から五番の番号を付けて並べた。

一番のボトルは透明の海水の割合が多く見えている。一番から順に海水の割合が減っていき、プランクトンの量は増えていく。五番のボトルは、一番のものと比べると、採取したプランクトンの量が多いため、オレンジ色が濃く濁っている様子が一目瞭然だ。

全員参加型のクイズは、最も南極に近い海で採取されたものはどれだと思うか、その番号に挙手する形で答えてもらった。

「どうかな？」と私が問いかけると、

「南極ってとても寒いし、海も凍っていた。何もいないんじゃないかなあ」

「南極の海で暮らす生きものをいっぱい観察できたね。もしかしたら、増えていくのかも」

などの考察が会場で飛び交う様子が見られた。

「正解は、五番です。」

私が発表したとき、

「え!?」という驚きの声と、

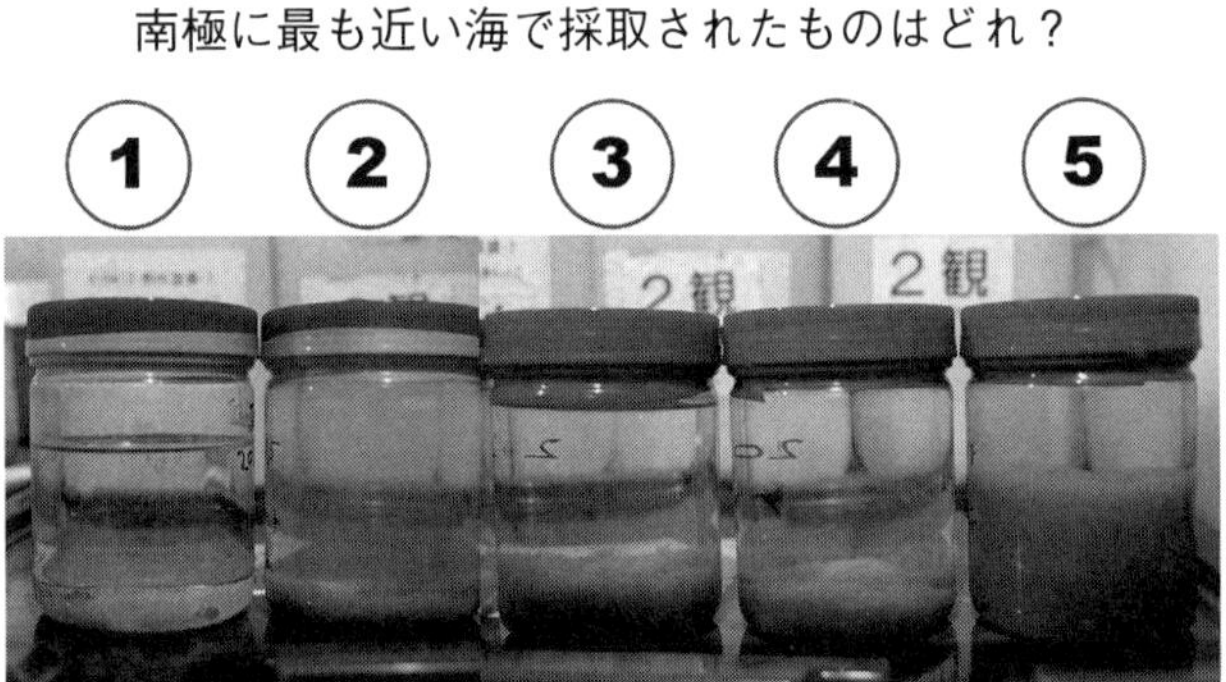

南極授業で出題したクイズのスライド（巻頭カラーにも掲載）

「やっぱりね。でも、なぜ南極へ近づくとプランクトンが多くなるの？」という疑問の声が聞こえた。

私は、「しらせ」が通った後の海面にできた航跡を画面に映した。ひっくり返った海氷がいくつもあり、よく見てみると茶色い氷が目立っている。私はその茶色い部分を指で示しながら、「これは、一体何でしょう。疑問の答えの道筋となります」と話し、解説を続けた。

南極海には海が凍った海氷があちこちにできる。その海氷にくっついて定着できた植物プランクトンは、海からの栄養も得られ、光合成もできて増殖していく。すると、植物プランクトンを食べにオキアミなどの動物プランクトンが集まってくる。さらに、動物プランクトンを食べにペンギンなどの生きものが集まってくるという流れができる。草や木は生えない南極だが、南極の海に食物連鎖があるということを、私はイラストを用いてスケッチブックで動かしながら伝えた。

海も凍る極寒の南極海。しかしそこは、生命を育む豊かな海であり、ある意味母なる温もりがある姿だったと、私が感じたことも伝えた。

日本の南極観測は、第一次隊から今まで六十年以上も続けている。

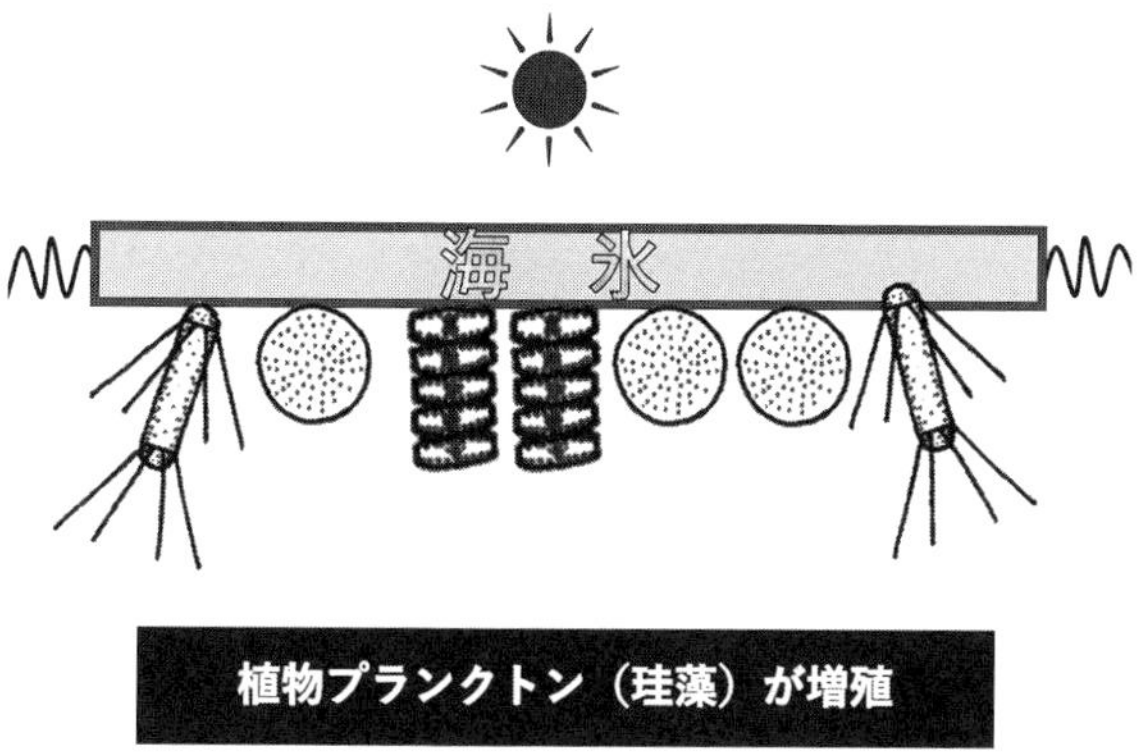

南極授業にて活用したイラスト

その意義とは——。

ここからはさらにゲストティーチャーとして隊員に同席してもらい、私が質問し、それに答えてもらう流れで、会場の皆さんとともに日本の南極観測について探究していく展開で授業を進めた。

「しらせ」での海洋観測は、船上やヘリコプターから海に投下したりなど多様な方法で行っていたが、それはなぜか——。

——海洋観測とは、いわば人間の血液検査のようなものだと考えることができる。血液検査によって体のことをいろいろと調べることができる。地球の血液ともいえる海を調べる海洋観測は、地球の状態を調べるのにとても重要な調査である。そして、船上からは実際に海水を採水して念入りに調査することができ、船では行けないところはヘリコプターを使って機材を投下するなど、多様な方法で観測する必要性がある。

南極観測の中には、毎年、同じ地点で、「しらせ」船上から海水やプランクトンの採取を行い、海の生態系を調査する「海洋生態系モニタリング」という観測がある。

六一次隊でも往路、復路それぞれ五日連続で観測を行うが、同じ時期に、同じ地点で、毎年継続して行う必要性はあるのか——。

——毎年、観測を行い続けることはすごく大事なこと。地球温暖化が起きているのかどうか捉えるためには、数十年の観測データで何が起きているのか、今後どうなっていくのか考える必要がある。今後何かをしなきゃならないときに、すでに観測データが数十年分揃っていると、その分早く対策を考えて打てることにつながる。

南極大陸の内陸での観測では猛吹雪が襲来し、私はトイレに行くのも命懸けだった。南極に出発する前の訓練や研修では、ほとんどが命の安全に関わる内容だった。極寒で、人間が簡単には住めない過酷な環境である南極で、命を懸けて観測する目的とは何か――。

――それは、〝地球の未来を読み解くため〟である。人間活動がほとんど行われていない南極では、地球環境を正確に観測することができる。いわば、〝南極は、地球の窓〟とも言える。

そんな南極で、南極条約の下、人種や国境も超えて世界中がお互いに協力し合って地球の未来のために観測している。南極大陸には各国の基地があるが、国境はない。

これからも南極観測をずっと続けていくことで、〝今〟という点を一つ一つ積み重ね、つなげていく

ゲストティーチャーとともに

ことで線を描くことができる。決して一気には描けない、一人では描けない。みんなで繋げてきて、今後も繋げていく。それによって見える変化が、私たちに地球のいろいろなことを教えてくれる。

変化を捉えるために継続的な観測の重要性や、多様な方法で観測を行う必要性など南極観測の意義について会場の参加者と学習を深めていった。

ここから授業は後半に入った。私は南極での生活をテーマとして、道徳の授業を展開した。

南極という厳しい環境下で観測や生活を続けるには、協働することがとても大切だ。観測隊には各部門のエキスパートはいるが、限られた人員で様々なことを遂行するため、機械や医療、調理、研究者などの観測の専門家はもちろん、海上自衛隊の乗組員など、全員がワンチームの志を持って支え合い、南極での観測や生活など、すべてを協働して行っている。こうした共同・協働生活に着目し、私が感じた「ともに生きる心」について会場の参加者と一緒に考える授業とした。

当直（日誌書き）

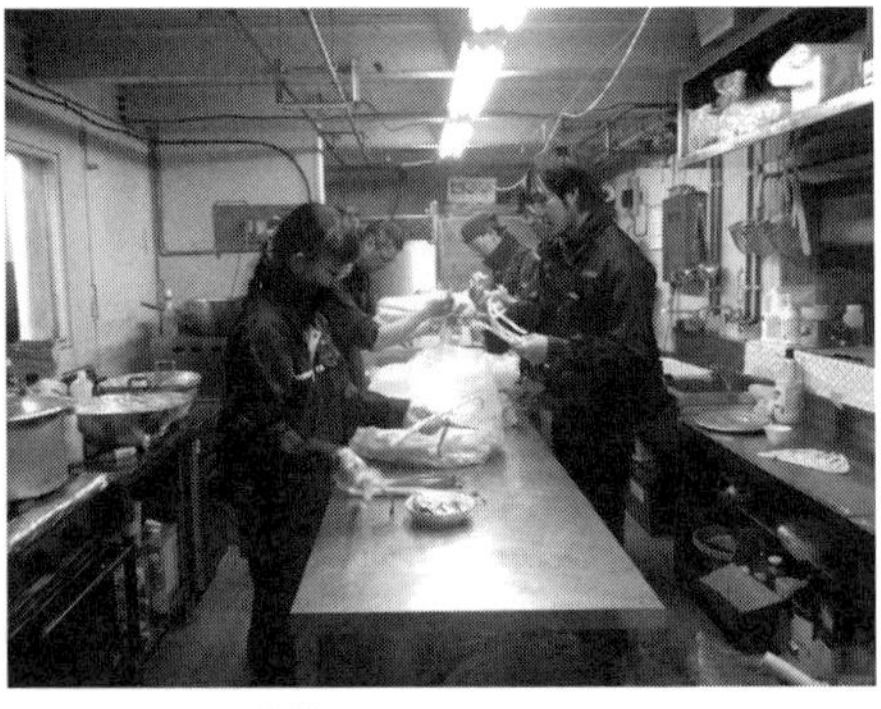
みんなで調理準備

南極で観測を続けていくということは、南極で仲間とともに生活を築いていくということ。そのため、昭和基地では、掃除やゴミ出しなどを行う「当直」を観測隊全員が輪番で担当することになっている。当直は、学校でいう日直のようなもので、日誌も書いたりする。

私が当直を担当したとき、みんなが食べ終えた後に皿洗いをしていると、

「アルバイトに入ります！」

と率先して次々に手伝ってくれた。

南極での生活は細かい指示命令はほとんどなく、どんなプランでどう過ごすかはその人次第なところも大きい。南極では年齢や肩書きなど……そのようなことより、人間としての中身が問われたように思えた。利害関係もなく、純粋にみんなのために行動する気持ちが育まれていくように感じた。

私は、このことは教師の仕事も同じだと思った。生徒は純粋で鋭く、私の言葉よりも行動をよく見ている。失敗も多い私だが、「しゃべりは下手なところもあるけれど、楽しそうに話す先生を見ていると、こちらもワクワクする。一生懸命さが伝わってくるよ」と生徒から言われたりすると、何より嬉しい気持ちになったものだ。

定刻ミーティングでの出来事も伝えた。観測の成功を願って、みんなで観測機材に「成功を祈る」「頑張れ！」などのコメントをマジックで書いたことがあった。一人の仲間の願いや思いを理解し、みんなで成功を祈る気持ちを共有している光景に、私はものすごく心が動かされた。様々な仕事をしている仲間の姿を目の当たりにする中で、私は自分にできることは何かを考え、

自発的に行動するようにもなった。

南極での生活や活動の中で、私には最も心に残っていることがある。それは、「観測隊や海上自衛隊の皆さんとの共同・協働生活」だ。互いの命や人生を預け合いともに生きる。互いを信じ合わなければ生き抜けない、そんな場所が南極なのだと肌で学んだことを伝えた。

授業の終盤には、参加者との質疑応答を通した交流の時間を設けた。ぶっつけ本番で、そのときになってみないと質問内容はわからない。どんな質問が寄せられても大丈夫なように、私は昭和基地の食堂に駆けつけてくれた隊員の皆さんに協力をお願いした。皆さんが「ＯＫ」のサインを笑顔で示してくれた。

質問タイムが始まると、会場の子どもたちから一斉に勢いよく手が挙がった。

「釣りをしたときの氷の厚さは？」

「南極の氷と冷凍庫の氷の違いは何ですか？」

「昭和基地にはどんな仕事をしている人が全部で何人いますか？」

「南極は一番寒いときで何℃くらい？」

などの質問を受け、南極授業を見守ってくれていた六〇次越冬隊や六一次隊の皆さんが、ゲストティーチャーとなって何人も出演して答えてくれ、無事に質問タイムを大盛況で終えることができた。

隊員や日本の会場の皆さんに支えられ、皆さんとともに創り上げた『南極授業』。一生、私の心に残り続ける授業となった。

そして、私は最後にメッセージを伝えた。

「私が南極にいられることも、私一人だけの力じゃありません。こうやって授業を今、リアルタイムで南極から中継できていることに感動でいっぱいですが、私一人でできているわけじゃありません。観測隊の皆さんと一生懸命に授業を準備し、日本の会場の皆さんや守谷高校の皆さん、地元筑西市や関城の皆さん、ミュージアムパークの方々、本当にありがとうございます。皆さんの応援やご協力があって、私がここにいられ、南極授業ができることを実感しています。

私は、日本にいるとき以上に、人とのつながりを感じ、そのつながりの中で生きていることを改めて深く感じました。

私自身、南極に行きたいと思ったきっかけが、『南極は人間も科学も育てる場所』という言葉です。その言葉に心を強く動かされ、人間も育てるってどういうことか教師として肌で学び、授業で伝えたかった。そして、私は実際、南極で二カ月以上生活してきましたが、その言葉の意味を強く感じています。

何事も決して他人事にはせず、他者の幸せを願い、ともに幸せを創って共有していこうとする、『ともに生きる心』を実感し、学んでいます。ともに生きる仲間、そういう人たちと今ここにいるんだなと思い、私は毎日、その心に囲まれて生活できていて、皆さんの温かさを感じ、本当に幸せです。

会場に妹が来ているのですが、一番応援してくれていました。妹の姿から、私も夢を諦めないで頑張るぞと思い、三回目のチャレンジでここ南極に来ることができたんです。

南極はいろんなことを教えてくれました。今日はここで授業を終わりにしようと思います。すごく緊張しました。本当にありがとうございました。」

自分なりの言葉でメッセージを述べた後、私は画面に入りきれないほど駆けつけてくれた観測隊や海上自衛隊の皆さんとともに、

「ありがとうございました。エンディングロールも見てね。また日本で会いましょう。ご安全に」と、日本の会場へ向けて、手を振りながら感謝と別れを告げた。

中継が切れると、日本の会場では、六〇次越冬隊と六一次観測隊のメンバーを顔写真とともに紹介するムービーが流れた。私が帰国した後で母から聞いた話だが、映像の途中で私の顔写真と名前が映し出されると、自然と拍手喝采が起きたという。会場の皆さんは本当に南極授業が楽しくて、感動した様子で、温かい気持ちに包まれていて、佑子の南極授業を応援してくれていたんだと感じ、母は感動のあまり胸がいっぱいになって涙が溢れたという。

鳴りやまない拍手が響く中、南極授業は幕を閉じた。

ミュージアムパークでの南極授業に参加していた子どもたちが、授業が終わって席を立つとき、

「あっという間だったね。南極には多くの生きものがいるのがわかったよ」

「南極にもっと興味をもった。自分でも南極のことを調べたい」

と授業の感想を話している声が聞こえたことも後日聞いた。

私の地元の旧関城町（現筑西市）からも多くの子どもたちが南極授業に参加してくれていた。北澤先生の南極授業に参加したいという子どもたちの願いを叶えるために、バスを貸し切って坂《ばん》東《どう》市の会場まで来てくれていたのだった。

私が勤務する守谷高校の生徒たちは、「北澤先生のために南極授業のお手伝いをします」と会場での受付や案内誘導などサポートしてくれた。守谷高校の先生たちも土曜日で学校が休日にもかかわらず、生徒に指示しながら終始笑顔で応援してくれていた。守谷高校の生徒たちは、会場で参加者の皆さんにとても丁寧で熱心に対応していて、一生懸命に行動していた姿がすごかったことも聞いた。


守谷高校での南極授業はミュージアムパークでの南極授業から二日後、一月二十七日に行われた。この日も、昭和基地は天候に恵まれ、屋外の一九広場から南極授業をスタートすることができた。

昭和基地の管理棟内の食堂に着いて、体育館に集まっている全校生徒たちの顔が画面に映し出された瞬間、私はふっと心が温かくなり、安心感がわいた。

「やっと、みんなの顔が見られました」と伝えたら、

「おーー！　北澤せんせーい！　本当に南極にいるんだね！」

「元気？」「あ！　髪切った？」

と生徒たちからの声が次から次へと矢継ぎ早に聞こえた。私は嬉しくて思わず、

「みんな、久しぶり！　美容師さんはいないから、髪の毛はお医者さんと電気工事士さんの隊員に切ってもらったよ。似合う？」

と予定にはなかったアドリブを口にし、生徒との久々の交流を楽しんだ。

生徒にとっては、ずっと身近にいた先生が、二カ月前に「南極へ行ってきます！」と出発し、地球儀の真下にあたる未知の世界である氷の大陸に、本当にたどり着いていることに驚いた様子だった。また、南極からのライブ中継の授業が始まることに歓喜している様子でもあった。

守谷高校の先生方も画面越しに笑顔で迎えてくれた。学校全体で南極授業を応援してくれていることが伝わり、私は感謝の気持ちでいっぱいだった。

ミュージアムパークとほぼ同じ内容で授業は進められていき、エンディングロールが流れ、守谷高校と昭和基地をつないだ南極授業は終了した。体育館のスクリーンが黒くなり、生徒たちは中継は切れたと思っただろう。

そのとき、パッとスクリーンが明るくなり、

「サプラーイズ！」

と私が再び登場した。生徒たちには授業が終了したと見せかけて、エンディングロールが流れている間に昭和基地ではサプライズの準備を急いで進めていた。

そして、私は

「フレー、フレー、守高！」

と声を大きく張り、エールを送った。すると、私の声の後から、

「フレッ、フレッ、守高！」

と声を合わせて全校生徒が一丸となって応えてくれた。打ち合わせや練習もないのに……。私は涙が溢れてきた。

「北澤先生、無事に帰ってきてね」

「待ってるからねー」

など、生徒たちからのメッセージを受け取った。

南極に行っている私は、三月一日の卒業式に出席することができない。卒業式で生徒たちへお祝いを直接伝えることができないので、私は「卒業生や守谷高校へエールを送りたい」と観測隊の皆さんにお願いしたのだった。

このときのことを卒業生たちが守谷高校に来たときなどに、

「南極からのエール。本当に感動でした。鮮明に覚えています」

と、今でも話してくれる。

南極の昭和基地と茨城県の守谷高校とでエール交換し、二回目の南極授業も拍手が響き感動に包まれる中で、幕を閉じた。

昭和基地から守谷高校へエールを送っている様子

妹の誕生日

南極授業をしながらも気になっていたのは、難病と闘っている妹のことだった。

妹は施設の方に支えられながら車いすに乗り、私の授業を応援してくれていた。一回目の南極授業の日に備えて体調を整え、ミュージアムパークの会場に来てくれていたのだった。

「おねえちゃん。おねえちゃんだ！」

画面越しから見えた妹は、私を指さしながらニコニコしていた。

「のぶちゃん、ありがとう。おねえちゃん、頑張るよ。」

南極授業中、私は心の中で妹に伝えた。

南極授業が終了した後、画面は真っ暗になったが、中継は切らずに私は昭和基地でスタンバイしていた。そして、参加者の皆さんが退場した後も家族には会場に残ってもらうように事前に会場担当のスタッフに頼んでいた。

準備が整い、日本側からの合図が届くと、

「のぶちゃん。お誕生日、おめでとう！」

画面からはみ出すほどに集まった観測隊の皆さんが、大きく手を振りながら声をそろえて呼びかけてくれた。家族にはサプライズだった。

「おねえちゃん、おねえちゃん！」

妹は目を真ん丸く見開いて、力の限り大きな声でこちらを指さしながら嬉しそうな顔を向けていた。

妹に寄り添っていた母は、涙ぐんでいた。妹と母の後ろにいた父の顔も見えた、笑顔だった。画面越しに久しぶりに会えた家族の元気そうな姿に、私はすごくほっとした。

妹へのサプライズは、観測隊の仲間が提案し、企画してくれたものだった。

南極授業チームに、一月は妹の誕生日だと話したら、「それなら、南極授業の本番が終わった後に、妹さんに直接、おめでとうって伝えよう」と、企画してくれた。そのことをチーム以外の隊員に話したら、「私もお祝いに行きます！」と、仕事の合間を縫って駆けつけてくれたのだった。

自分の家族のように妹の誕生日を祝ってくれたのは、本当に嬉しい瞬間だった。

他者の幸せを願い、ともに創っていこうとする南極地域観測隊の心を、私は感じた。

越冬交代式、別れの日

この夏の時期の昭和基地には、昨年から越冬している六〇次越冬隊三一名に加え、六一次隊（夏隊と越冬隊）六七名と、昭和基地で活動する「しらせ」乗組員たちなど、総勢一〇〇名ほどが滞在していた。約三十人で生活している冬の時期と比べると、密な状態だ。生活する人数が多いと、汚水処理など基地内の機械に負担がかかってしまう。基地機能の安定的な維持も考慮し、昭和基地での任務を終えた夏隊員は順次、「しらせ」へ帰船することになっていた。

一月二十九日の午前八時半頃、一部の六一次夏隊員と持ち帰り物資を乗せた「しらせ」は、昭和基地沖を離岸《りがん》し始めた。昭和基地に残って越冬する六一次越冬隊（三〇名）にとっては約一年後、十二月に「しらせ」がまた迎えに来るまで、長いお別れとなる。

私はこのとき越冬隊員とまだ昭和基地での任務がある夏隊員とともに、見晴らし岩と呼ばれる丘に上がり、「しらせ」の離岸を見送った。汽笛が鳴り、「しらせ」の甲板から観測隊員や乗組員が手を振っているのが見え、私たちも大きく手を振った。

実は、一月二十七日に守谷高校との南極授業を終えた私は、昭和基地での任務を全うし、二月一日に執り行われる越冬交代式の前に昭和基地を離れ、「しらせ」へ帰船する予定となっていた。しかし、越冬交代式を見届けることなく、このまま昭和基地を離れてしまってよいのだろうか……。私はとても悩んでいた。

南極地域観測隊にとってものすごく重要な式典である越冬交代式。それを知らずに、観測隊のことを理解したと言えるのだろうか。子どもたちへ観測隊のことを伝えるためには、越冬交代式を知る必要があると強く思い、私は青木隊長と青山越冬隊長に思いを伝えようと、覚悟を決めた。

「帰国後、子どもたちへ南極のことをしっかり伝えられるよう、観測隊のことを深く理解するために、越冬交代式はとても大事なことです。この目で見届けさせてください。」

私は緊張しながら必死で伝えた。

「そうか。甘いな。計画が甘い。そういうことは早く伝えておかなければならない。」

青木隊長がそう言った後、沈黙が続いた。

「わかった。

ただし、越冬交代式が終わったらすぐに帰船すること。」

隊長は鋭い眼差しで許可してくれた。

南極において観測計画の急な変更は、命の危険に及ぶこともある。だからこそ、重大な決断をした青木隊長の覚悟を、私は強く心に感じていた。

一月三十一日には翌日の越冬交代式に先立ち、六〇次越冬隊の送別会が行われた。送別会の準備は六一次隊が担当し、調理隊員が腕を振るった豪勢な食事が並ぶ。食材のほとんどは一年前のものだが、そんなことを感じさせないくらい刺身も新鮮でおいしかった。私は装飾係を任され、食堂前の壁に貼られているホワイトボードにウェルカムメッセージを描いた。

このとき私がホワイトボードに描いた絵には、ちょっとミラクルな話が続く。

六一次隊として南極に行ってから二年後、六三次隊として再び昭和基地を訪れた野口さんが、

「これ、見て！　あのときの絵、まだ残ってるよ」

と、昭和基地から写真を添えてメールを送ってくれた。

私が描いた管理棟や雪上車の絵は、消されないまま

送別会のウェルカムボードを著者が描いている様子

二年も越冬していたのだった。

こすったらすぐにでも消えてしまうホワイトボード。きっと、その後の隊員の皆さんも「記念に」と消さないように気をつけて使ってくれていたのだと想像できた。

野口さんからのメールで、自分が昭和基地にいたという確かな痕跡を目にし、南極でのことが一気に思い起こされ、心を駆け巡った。そして、越冬交代式で感じた観測隊に受け継がれる情熱を思い出した。


二〇二〇年二月一日は、六〇次越冬隊から六一次越冬隊への「越冬交代式」の日。この式をもって、昭和基地の実質的な管理および運営が前の隊から次の隊へ引き継がれる。「越冬交代式」は次の越冬隊へバトンが受け継がれる日本の南極地域観測隊にとって最も大切で伝統的な行事だ。

二〇一八年十二月に昭和基地に入り、観測を続けてきた六〇次越冬隊の越冬隊長は、

「ついにこの日になりました。六〇次の皆さんはよく働いてくれる人ばかりでした。本当にありがとうございました」

と長い越冬観測を終えた隊員を労い、感謝の気持ちを述べた。

これから一年間、二〇二一年二月まで昭和基地で観測を行う六一次越冬隊の越冬隊長は、

「これからは我々が昭和基地の観測と設備を維持しなくてはなりません。厳しいこともあると思いますが、自分たちでなんとかしなければいけない。頑張りましょう」

と決意を宣言した。


越冬交代式は、一九広場で執り行われ、和やかな雰囲気で進行した。

両隊長の挨拶の後、越冬を終える六〇次越冬隊員は一名ずつ順に、越冬隊長から名前が呼び上げられた。任務を無事に遂行したという誇らしさからか、大きな声で返事をしている姿が印象的だった。

次に、これから越冬が始まる六一次越冬隊員が、越冬隊長から名前を呼び上げられ、それぞれ返事をしていった。そして、両隊員は、サッカー選手が試合前に相手チームの全員と握手するような要領で、一人ひとり握手をして互いに挨拶を交わし、それぞれが思いを伝えていた。越冬を終える隊の中には、自然と涙ぐんでいる隊員もいた。

越冬交代式を見守っていた私は、日本の南極観測の拠点を築き上げた一次隊から六十年以上、受け継がれてきた思いが胸に迫り、涙が溢れてきた。

青木隊長と約束した通り、越冬交代式を見届けた後すぐに私は、ずっしりと重い荷物を担いで昭和基地のヘリポートへ向かって歩き出した。そのとき、六一次越冬隊のみんなが走り寄ってきてくれ、

「みんなで見送るよ、乗って」

と、トラックでヘリポートまで送ってくれた。

ヘリコプターがやってきた。ついに別れのときがきた。私は六一次越冬隊一人ひとりとぎゅっと強く握手をし、「ありがとう、がんばろう、またね」と言葉や思いを互いに交わした。

そして、私は無線機を手に取り、昭和通信と最後の無線通信を行った。

「昭和通信、昭和通信。こちら北澤です。どうぞ。」

「はい、こちら昭和通信。北澤先生、どうぞ。」

「いまから、昭和基地を離れます。どうぞ。」

「了解しました。どうぞ。」

「いってきます。ご安全に。さようなら。」

「いってらっしゃい。ご安全に。さようなら。」

無線での通信においては、いくつか決められていることがある。しかし、このときばかりは、お叱りを受けることを覚悟で、お別れの交信を続けた。

私はヘリコプターへ乗り込んだ。離陸し、空から大きく手を振って昭和基地と六一次越冬隊に別れを告げた。顔は溢れてやまない涙でいっぱいだった。

みるみる遠く小さくなっていく昭和基地を見つめながら、

「越冬交代式は、学校で行う厳かな卒業式のようだった。私は越冬交代式のことも、教師として、子どもたちへ伝えていこう。南極で頑張る仲間がいる。私も頑張ろう」

と胸が熱くなった。

オーロラ

復路では南極もすっかり夜を迎える時期になり、空が真っ暗になった。それはまた新たなチャンスを予感させる。

「今夜は良い条件が揃うかもしれない。夜中、見られる可能性が高いと思います。」

夕方のミーティングで発表があり、みんなに教えてくれた。

「今日に、かけてみよう。」

カメラの準備を万端にして、お互いが寝ないように相方と協力して真夜中を迎えた。

甲板に出る許可を得て、重い扉を開けた。

そして、空を見上げた。

「　　。」

思わず息を飲んで言葉が出てこなかった。

あまりにも衝撃的で美しい光景だった。まさに、感慨無量。輝くオーロラに、無数の星々のきらめきと天の川。感動の連続。

我に返り、真っ暗闇の中、手探りでカメラのシャッターを切った。

まぶたを閉じたとき、まつ毛が凍っていることに気がついた。興奮のせいで自覚していなかったが、髪の毛も凍りついて、寒さで全身が震えていた。この日は強風で体感マイナス三〇℃ともいわれた。

「でも、まだ見ていたい。」

必死で寒さに耐え、限界と闘いながら、天上に揺らめくオーロラの光を浴びていた。


その後、三月九日にトッテン氷河沖を離脱し、「しらせ」は南極大陸に沿って東へ向かった。東経一五〇度あたりまで行ったら、そこから「しらせ」は北へ進むことになる。つまり、南極を離れるということだ。

「もうそろそろ、氷が浮かぶ海も見納めかも……。最後になるかもしれない。」

私は、最後の瞬間まで氷海を眺め続けたくて、甲板を歩き回っていた。

「この景色をいつまでも覚えていたい。」

私は目を閉じても思い浮かべられるくらい、ずっと景色を見つめていた。そして、「しらせ」は南極大陸を背に進路を真北へ変え、シドニーへ向かって進み始めた。

海に浮かぶ氷もだいぶ少なくなってしまった、そう思った、そのときだった。

「あっ。まだ……、会えた。」

小さな流氷の上にたたずむ一羽のペンギンの姿を見つけた。

「最後かもしれない。」

私は南極を感じられる光景を必死でかみしめた。溢れそうな涙をこらえ、私は笑顔でペンギンに向かって手を振りながら、

「南極、ありがとーーう！　ご安全にーー。」

思いが詰まったエールが南極に届くように大きく叫んだ。ゆっくりと進んでほしいと思う私の気持ちとは裏腹に、「しらせ」はグングン進み、ペンギンの横をあっという間に通り過ぎてしまった。

その瞬間、「ポチャン」。ペンギンは海に飛び込んでいった。その後、海の色はすっかり青となった。氷も見えなくなり、ペンギンの姿もなくなった。

「しらせ」船上では、東経一五〇度ラインに沿って北へ進みながら再び停船観測が行われた。三月十六日の朝、最後の停船観測が実施され、オーストラリアの排他的経済水域（ＥＥＺ）に

入ったところで、今回の航海でのすべての観測を終了した。「しらせ」史上最大規模の海洋観測をやり遂げた達成感がわき上がり、海上自衛隊や観測隊の皆さんと感動を分かち合った。

それから三日後の三月十九日の朝方、「しらせ」の甲板に出てみると、

「緑だ！」

日本では見慣れていたはずだが、久しぶりに見た木々の緑はとても新鮮に目に映った。甲板では多くの隊員がそれぞれ思い思いに木々を眺めていた。

遠くに街並みも見え始め、「もう南極ではない」ことをまざまざと実感した。無事に帰って来られたことに安堵した気持ちもあったが、仲間との南極生活が終わってしまうと思うと寂しさが胸に迫った。

帰途

新型コロナウイルス感染症については、二月の終わり頃の定刻ミーティングでアナウンスがあり、世界的な流行の兆しがあることを初めて知った。インターネットもつながらず、もちろんテレビ放送もない船上生活では最新の情報をリアルタイムで知ることは難しく、肌感覚としては伝わってこない。「なにやらコロナっていうウイルスの感染症が流行っているらしい」という程度しか私は理解できていなかった。

シドニー入港に合わせて、船内では各自にマスクが配られた。常時装着するよう指示があり、なんとなく事の重大性を感じ始めていた。

シドニーで三泊してから空路で日本へ帰る計画となっていたが、新型コロナウイルスの影響で

急遽変更され、入港した翌日の夜明け前には下船することとなった。かなり異例な事態だったことがうかがえる。

三月十九日午前、「しらせ」はシドニーに入港した。すぐさま入国手続きが行われ、オーストラリア在住の観測隊のメンバーが下船し、みんなで見送った。そして、夕方には、翌日の下船に先立ち、「しらせ」船上にて海上自衛隊より退艦式を挙行していただき、乗組員の方々一人一人とハイタッチをしながら挨拶を交わした。

シドニーに入港してから荷物整理をしようなんて思っていた私は、急に帰国が早まったことで夜通し、荷物整理に追われた。なんとか下船ギリギリで荷物を段ボールへ収めることができた。

「最後の夜は、ゆっくりと語り合おう。」

なんて言っていた日はいつのことやら……。私と野口さんはお互い慌ただしく下船の準備を完了した。出発前と同じ状態に戻した船室を見渡した。すっかり愛着がわいていた。

「ありがとうございました！」

お世話になった船室に深々とお辞儀をし、ゆっくりと扉を閉めた。


「さあ、日本へ帰ろう。」

隊員たちはぞろぞろとタラップの階段を下りる行列を作っていた。私も行列に加わり、下船した。

夜明け前のシドニーの街並みは夜景が綺麗だった。

後ろをふり返ると、たくさんの乗組員の方々が甲板に出てきてくれていた。「SAYONARA」の文字が描かれた横断幕を掲げて、手を振って見送ってくれた。私も両手を振りながら、

「ありがとうございました。さようなら、ご安全に」

と大きな声で伝えた。

貸し切りバスに乗り込み、シドニー空港へ向かった。空港の手続きカウンターには、南極をイメージしたオブジェが飾られていたのを見つけた。航空会社の方の手作りだそうで、折り紙で作ったペンギンやペットボトルで作られた氷山が見事だった。後から聞いた話だが、観測隊がシドニーを離れた日の夜に、オーストラリアはほとんど国境を閉じた状態になったという。「しらせ」はギリギリすれすれで入港でき、観測隊も飛行機に搭乗することができた。

第六章　南極せんせい

四カ月ぶりの我が家

令和二年三月二十日、十時間ほどのフライトで夕方五時頃に成田空港に到着した。

「人がいない。みんな、マスクをしている……」

四カ月前、大勢の方に見送っていただいた出発時を思い出すと、静まり返った空港の様子に唖然とし、状況の深刻さを感じた。仲間との別れを惜しむ間もなく、足早に解散しなければならなかった。

別れ際、私は熊谷副隊長のところに行って挨拶し、握手を交わした。

「帰国して、ここからが任務本番の始まり。これからも任務は続きますよ。期待しています。」

熊谷副隊長が私の肩に手を当てながら、そう伝えた。

「はい。」私は力強くゆっくりと答えた。

手続きを終えて到着ロビーを出ると、

「佑子！」私を呼ぶ母の声がすぐ耳に飛び込んできた。「どこ?」声を頼りに母の姿を探した。

「佑子！　こっち。」

大きく手を振る母が立っていた。母の隣には父も立っていて、両親が出迎えてくれた。

「ただいま。」

「おかえり。」

元気そうな母の姿に、とても安心した。

そのとき、青木隊長が私たち家族のもとに駆け寄ってくれ、「お疲れさまでした」と丁寧に挨拶をしてくれた。

慌ただしく父の車に乗り込み、自宅へ帰った。車内で「何か食べたいものはあるか」と聞かれ、「生卵にレタス、それに冷凍してないアボカド」とリクエストした。近所のスーパーに立ち寄ったのだが、何度も通って慣れ親しんだ場所のはずなのに、目に入ってくる光景がものすごく新鮮に映った。私は「お店だ」と興奮していた。


久しぶりの我が家でぐっすりと深い眠りについた。目覚めたとき、いつものようにヘルメットをかぶろうとする自分の姿に気づいた。南極ですっかり身についた習慣だった。その日、私は欠かさずつけていた日記をもとに、撮りためた写真を両親に見せながら、南極での活動や生活ぶりを問わず語りに話し続けた。そして、母からは南極授業の会場の様子について教えてもらった。

観測隊の帰朝を記念した式典はすべて中止となり、私は二週間の自宅待機を余儀なくされた。そのため、妹にすぐに会うことはできず、そのことが何よりも一番つらかった。

四カ月ぶりに見るテレビには私にとっては初耳のニュースが多く流れていて、マスクが入手困難なことも初めて知った。社会現象になったというドラマのことも、私にはさっぱりわからなかったが、母の録画を見てブームに後乗りした。私が南極に行っている間にいろいろなことが起きていたんだなと浦島太郎のような気分になったが、それもまた本当に南極に行っていたんだと実感できることの一つでもあった。

南極生活ですっかり身についた習慣はヘルメット装着の他にもある。節水はもちろん、ゴミの分別も。昭和基地での三十種類以上の分別に比べたら、数種類の分別はたやすいことに思えた。

南極せんせい、おかえりなさい

自宅待機を終えて、守谷高校へ向かった。

「おー、おかえりなさい！」

先生たちは温かく迎えてくれた。春休み明けの始業式、生徒たちと再会した。

「おかえりなさーい、南極せんせーい！」

生徒たちは私のもとに駆け寄ってきて、笑顔で迎えてくれた。守谷高校の生徒たちは、南極から戻った私を親しみを込めて「南極せんせい」と呼んでくれている。

南極へ出発する前、母校の関城中学校では、後輩である生徒たちが「いってらっしゃい」と壮行会を開催してくれ、私は地元の心強い応援を胸に旅立った。そして帰国後は歓迎講演会を企画してくれ、

「おかえりなさい。」

生徒たちがみんなで声を合わせて言ってくれた。私は感激のあまり講演の内容がふっとんでしまったくらいだった。帰ってこられる母校があることに心の底から感謝の気持ちでいっぱいになっ

た。グッと心が温まり思わず涙声で、

「ありがとう」と伝えた。

また、地元の茨城県筑西市では「南極せんせい写真展」を開催していただいた。来場された地元の皆さんとたくさん交流することができ、私が南極で撮影した写真や実際に使用した観測機材など、直接手に触れてもらいながら、南極でのことを話した。

特に子どもたちは南極に興味津々で、私を質問攻めにした。南極をテーマにして自由研究をしたいという子や、将来は観測隊になりたいという意欲的な子もいた。

改めて、将来を担う子どもたちの探究心を高め、世界観を広げるきっかけにつなげていけるよう南極での経験を還元していきたいと強く思った。

写真展は私が勤務している守谷高校がある守谷市でも開催してくれ、多くの皆さんと写真を見ながら南極についてお話しすることができた。じっくりと写真に目を向けてくれている姿が多くあった。

茨城のテレビ番組にリモート出演し、南極での活動をシリーズ化して話す機会もいただいた。私が帰国した直後はオンラインやリモートが一般的に浸透する前で、勝手がわからず悪戦苦闘したことも思い出となっている。母校の水戸一高や同窓会の知道会、他にも小中学校や高校など様々なところで講演し、子どもたちをはじめ多くの皆さまに南極で学んできたことを伝えることができている。

私が感じてきた南極の魅力を多くの皆さんと共有できていることにいつも胸がいっぱいになる。

犬ぞり隊のタロとジロ、そしてリキ

私たち第六一次隊が帰国した翌日の令和二年三月二十一日、南極観測船「しらせ」はオーストラリアを出港した。それから約二週間後、四月六日に海上自衛隊の横須賀基地に入港し、日本に帰着した。

段ボールにまとめた荷物は船室から運び出され、東京都立川市にある国立極地研究所に集荷される。私は荷物を引き取りに車で向かった。

久しぶりに見た国立極地研究所は懐かしく感じた。約束した時間より早く着いたので、周りを散歩することにした。ここを訪れると、いつも犬たちが出迎えてくれる。犬ぞり隊のブロンズ像だ。大きさはほぼ実物大。極地研の敷地内にある南極・北極科学館のすぐそばにある。

私はこれまでに何度も犬たちの像を見ていたので、見慣れているはずだった。しかし、このときに見た犬たちは以前よりも大きく、とても力強く勇ましく感じたのだった。

私は立ち止まり、一頭一頭まじまじと見つめた。

「ただいま。皆さんがいた南極の昭和基地に、第六一次隊として私も行ってきました。」

私は犬たちを見つめながら伝えた。

ブロンズ像の犬たちは、今から六十五年以上前、観測隊によって昭和基地に置き去りにされた一五頭のカラフト犬だ。私は初めてこの犬ぞり隊のブロンズ像を見たとき、「もっと犬たちのことを知りたい。いや、知らなければならない。」そう思い立ち、犬ぞり隊に関する本や記事を探した。

北海道の稚内《わっかない》で厳しい訓練を受けた選りすぐりのカラフト犬たちは、一九五六年十一月に第一次南極地域観測隊の犬ぞり隊として南極へ向かった。

国立極地研究所にある犬ぞり隊のブロンズ像

犬ぞり隊は約五〇〇キログラムもの荷物を積んだそりを引いて未踏の地を走るなど、合計一六〇〇キロメートルもの距離を走り抜き、日本初の南極越冬観測のために貢献した。

カラフト犬は寒さをものともせず、嗅覚に優れ、クレバス等の危険を察知するなど南極の地で大いに活躍し、第一次越冬隊員とともに南極で越冬した。

翌年の一九五七年十二月、第二次隊を乗せた観測船「宗谷」は昭和基地へ近づいていたが、記録的な大寒波で海面が凍結し、氷にぎっしり閉じ込められてしまった。そして、約一カ月半もまったく身動きが取れない状態だった。それでも、なんとか第一次越冬隊から第二次越冬隊へ、交代の作業を進めようと奮闘し、まずは昭和基地にいる第一次越冬隊員を船へ収容した。犬たちは第二次隊でも引き続き活動するため、第二次隊員が昭和基地入りするまでの間、人が誰もいない昭和基地にそのまま留め置かれることとなった。

しかし、あまりの悪天候が続き、第二次隊は昭和基地へ行くことができず、越冬は急遽断念となった。そして救出することもできず、一五頭の犬たちは首輪を鎖につながれたまま、南極の昭和基地に置き去りにされてしまったのだった。

「われわれは、涙をのんで第二次越冬観測計画をここに断念せざるを得なくなった。」

永田隊長の目からはこらえきれない涙が溢れだし、決断の言葉を隊員へ伝えたという。

当時、第一次隊は予備観測と言われ、第二次隊は本観測と言われていた。永田隊長は、このときの言葉の中で本観測とは言わずに、あえて「第二次越冬観測」と言っていた。

私は、「第二次越冬観測」と言った永田隊長の言葉から、「南極観測を、ここで終わらせない。次につなげ、再び昭和基地に来る」という決意が込められている思いを感じた。

第二次隊が越冬を断念して日本に戻ってから約一年後、第三次隊が南極へ向かった。そして、第三次隊は昭和基地に到着すると、氷の上で動く真っ黒い毛むくじゃらの犬が二頭、隊員の目に飛び込んできたという。タロとジロの兄弟犬だった。このことは、奇跡の生還と言われている。

タロとジロの生還から九年後、昭和基地そばの雪の中から、一頭の犬の遺体が見つかった。その特徴から、リーダー犬のリキと思われるということだ。

「リキがいたからこそ、タロとジロが極寒の南極で生き延びることができたのではないか。」

北村泰一さん（第一次、第三次南極地域観測隊員）は語っている。幼く経験のないタロとジロに南極で生き抜くすべてを教えたリキは、年齢のため徐々に体力を失い、力尽きてしまったのだろうと思われる。タロとジロの奇跡の生還の裏には、力の限り支え続けたリキというリーダー犬の存在があったと言えるのだ。

私はリキの目をじっと見つめた。

「リキ……。」

涙が溢れて止まらなかった。

リーダー犬として、第二次越冬隊長として強い思いを持ち、南極で仲間が生き抜いていけるために力の限り支え続けたリキ。そのリキの姿勢からタロとジロはリキの思いや南極で生きる術などすべてを学んで受け継ぎ、二頭で生き抜いた。犬ぞり隊の犬たちの魂を深く感じ、心が熱くなった。

それから日本の南極観測は六十五年以上、今も続けられている。その背景には、犬たちが繋いできたバトンがあった。タロとジロは南極の昭和基地で生き抜き、第二次越冬隊として越冬を果たした。そして、第三次越冬隊へと途切れることなく渡したバトン。その思いをつないで、築いてきた南極観測の歴史を感じた。私もその思いの中に、南極地域観測隊としていられる誇りを胸に、これからも安全に南極観測が続いていくことを願った。

ふと、昭和基地に残って越冬している越冬隊の皆さんの顔が浮かんだ。ヘリコプターで昭和基地を飛び立ったときの感情がこみ上げてきた。

「どうか、ご安全に。私は日本で任務を遂行できるよう頑張ります。また日本で会いましょう。」

犬たちの力強くも優しい眼差しに包まれ、私は勢いよく涙をぬぐった。

南極魂

学生時代、教員南極派遣プログラムがあるということを知り、いつか自分も南極に行ってみたいという気持ちが芽生えた。そして、南極についていろいろと調べていく中で、

「南極は、科学も育てるが、人間も育てる」

という国立極地研究所の先生の言葉に強く心を動かされた。

「人間も育てるとはどういうことなのか。」

私は子どもたちの人生に携わる立場である教師として、「人間も育てる」南極で肌で感じ学びたいと夢を抱いた。


教師になってから六年間、絶対に諦めないという強い思いを持ち、行動し続け、三回目の挑戦で観測隊の候補者に選ばれた。多くの訓練を乗り越え、第六一次南極地域観測隊として南極行きが実現し、昭和基地へ降り立った。南極や「しらせ」船上で仲間とともに生活し、様々な活動をした。

そして、その問いに対する答えの一つを、自分なりに見つけることができたかなと思っている。


「人間も育てるとはどういうことなのか。」

――それは、『南極魂』にある。


私が南極地域観測隊に同行して最も心に残っていること。

それは、海上自衛隊や観測隊の皆さんとの共同・協働生活だ。

その生活の中で私は、

『何事も決して他人事にせず、他者の幸せを願い、共有していこうとする心。ともに生きる心』

を深く感じ、学んだ。

私はその心を『南極魂』と名付けた。

道徳の授業で数年前から親しくしていただいている、元ハンセン病患者の平沢保治さんのこと
を思い出した。いつも笑顔で接してくれる平沢さんは、
「『ひとの苦しみや喜びを自分のものとすることができるか』ということが、
生きていく中で大切だ」
と語っていた。その言葉にはまさしく『南極魂』に通じるものがあった。
さらに、タロやジロ、そしてリキなど犬ぞり隊の犬たちにも、『南極魂』があったのだと深く
感動した。

ある日の授業後、一人の生徒が教卓にいた私のところに来て、

「先生、俺も南極行ける？」

と聞いてきた。生徒の眼は真剣だった。

地元で開いた「南極せんせい写真展」に来ていた子どもも、

「あ、南極せんせいだ」

と寄ってきて、

「僕も南極に行ってみたい。観測隊員になるにはどうしたらいいの？」

などと私を質問攻めにした。

私は南極観測には気象庁や海上保安庁、国土地理院など国の機関や、民間企業からの派遣、研究者や学生、公募によって選ばれた隊員、海上自衛隊の乗組員など、様々な人たちが参加していることを説明し、それぞれの人たちが観測を担当したり、観測を支えたりする任務を担っていると伝えた。

南極行きへ何度も挑戦し続けた人、資格をとるために努力してきた人、諦めそうになったとき周囲からの支えで頑張ってきた人、日本の南極観測を築くんだという情熱を持っている人、そういう人たちの集まりであることも話した。

観測隊は純粋に誰かのために、皆のために動く人たちであることも加えて話した。

そして、覚悟を持って夢を諦めずに行動し続けることや、人と人との縁に感謝する心を忘れないことの大切さを私のメッセージとして伝えた。


南極に行けたことも、南極での活動や帰国後の活動などができていることも、私一人の力ではなく、応援してくれる多くの人たちがいるからである。感謝の気持ちでいっぱいだ。

これからも南極の魅力や南極観測の意義と重要性、観測に関わる人たちのこと、そして『南極魂』を子どもたちをはじめ多くの人たちに発信し、南極での経験を教育活動を通して還元していきたい。

それが私の任務であり、使命だ。

新たな夢に向かって

南極から帰ってきた今、私は新たな夢を抱いている。

「高校生を南極へ連れて行く。」

それが、私の新たな夢だ。

南極にまだ行ったことのない私が「南極観測シンポジウム２０１８」で発表した提案だ。観測隊として南極に行った今の私は、以前よりさらに本気で実現へ向けての思いが強くなった。

私が肌で感じた南極の魅力や『南極魂』を、将来を担う高校生にもじかに感じてもらいたい。

その思いがむくむくと頭をもたげ、引率教員として子どもたちと南極に行ける日を思い描いている。

その新たな夢の実現のために、これからも子どもたちをはじめ皆さんに南極の魅力を発信し続け、そして私自身が南極の冬の姿も学ばなければと考えている。

私は教師として、夢に向かって生徒とともに歩み続けていきたい。感謝の気持ちを大切に、諦めずに行動し続けていくと覚悟を決めている。

南極観測に携わる人たちとの共同・協働生活から学んだ『南極魂』をいつも心に持って。

南極魂《なんきょくだましい》

北澤佑子

南極大陸にて

あとがき

この度は本書をお読みいただき、ありがとうございます。

本書は、以前に実施した講演がきっかけとなり、プレアデス出版の林さんからお手紙をいただき、始まりました。林さんは、私たち家族のことも大事に思って、いつも力づけてくださいました。「南極せんせい」として本の執筆の機会を与えてくださり、プレアデス出版の皆さまに御礼申し上げます。

筑西市や守谷市、古河三高と守谷高校の生徒や職員の皆さんから、「応援しているよ」と送り出していただき、南極から帰ってきたときも含め、様々な場面でたくさんお世話になりました。感謝の気持ちでいっぱいです。

南極授業をミュージアムパーク茨城県自然博物館（現在の職場）で実施したいという私の願いを受け入れてご協力いただき、ありがとうございました。なぜ、ミュージアムパークで南極授業を実施したかったかというと、幼い頃から家族と訪れた学びの場であり、初代館長の中川志郎氏と私は同郷（関城町出身）で、ご縁やつながりを感じていたからです。当館で茨城県初の南極授業を実現できたことをありがたく思います。

国立極地研究所の皆さま、日本極地研究振興会の皆さま、第六一次隊の皆さま、海上自衛隊「しらせ」乗組員の皆さま、そのほかお一人おひとりのお名前を述べられないことは大変恐縮ですが、教師として歩み、南極行きの実現から本書の完成に至るまで、様々な場面でご協力ご鞭撻いただいたすべての皆さまに心より深く感謝申し上げます。

最後に、人生の中で常にともに生きてきた家族へ。私は、この家族に生まれてきてよかったなと、心の底から自信をもって伝えたい。いろんなことがあったけど、いつも本当にありがとう。

◇著者略歴

北澤 佑子（きたざわ　ゆうこ）

1986 年生まれ。茨城県筑西市（旧関城町）出身。
茨城県立水戸第一高等学校卒業。
東京学芸大学にて小学校、中学校理科、高校理科の教員免許状を取得し、筑波大学大学院で理科教育学を学ぶ。
茨城県立古河第三高等学校の理科（生物）教諭科学部顧問として茨城県 ASSIST プロジェクトに参画し、第 6 回茨城県高校生科学研究発表会審査員奨励賞に導く。
2018 年 4 月から茨城県立守谷高等学校に勤務。茨城県の教師で初めて、教員南極派遣プログラムで選出され、第 61 次南極地域観測隊同行者として活動し、「南極授業」を実施。
2023 年 4 月からミュージアムパーク茨城県自然博物館にて勤務。

— 現役高校教師の挑戦 —
南極せんせい

2024年 5 月 2 日　第 1 版第 1 刷発行

著　　　者：北澤　佑子
発 行 者：麻畑　　仁
発 行 所：㈲プレアデス出版
〒399-8301　長野県安曇野市穂高有明7345-187
Tel：0263-31-5023　Fax：0263-31-5024
http://www.pleiades-publishing.co.jp
協　　　力：国立極地研究所
イ ラ ス ト：北澤　佑子
写 真 協 力：国立極地研究所
企画・編集：林　　聡美
装丁・組版：松岡　　徹
印　　　刷：亜細亜印刷株式会社
製　　　本：株式会社渋谷文泉閣

落丁・乱丁本はお取り替えいたします。定価はカバーに表示してあります。
ISBN978-4-910612-13-3　C0095
Printed in Japan